万博は今すぐ中止！

被災地の復旧・復興を

「ストップ 万博・カジノ シンポジウム」より

日本共産党大阪府委員会／編

元参議院議員 たつみコータロー
「しんぶん赤旗日曜版」記者 本田祐典
静岡大学教授 鳥畑与一
おおさか市民ネットワーク代表 藤永のぶよ
阪南大学教授 桜田照雄
大阪市議会議員 山中智子
前衆議院議員 清水ただし

日本機関紙出版センター

はじめに

元日、マグニチュード7・6、最大震度7の大地震が能登半島を襲い、家屋の倒壊、大規模火災、そして津波の被害などで死者は200名を超え、最大2万人の避難者を出すなど極めて甚大な被害に見舞われました。地震から1カ月以上経っても、道路の寸断や土砂崩れ、電気、水道、通信などのインフラなどの回復は遅れ、今も多数の方が避難所での暮らしを余儀なくされています。その避難所での暮らしも水や食料を含めた物資も医療的ケアも十分ではなく、感染症の拡大リスクもあり、災害関連死も報告されている状況です。これからもライフラインの確保、生活再建、河川・道路などの復旧には相当な時間と多額の予算措置を要することになるのは確実です。住民が一日でも早く通常の生活に戻れるよう、国と自治体が最大限取り組まなければなりません。

被災地の復旧、復興に最大の障害となるのが2025年4月開催予定の大阪・関西万博です。昨年来、事業費の膨張が明るみにでて、万博に対する国民の批判は急速に高まってきました。会場建設費は当初の約2倍の2350億円にも上り、万博の「目玉」とされている、350億円かけて作られ半年で解体する一周2キロメートルの木製リングも「無駄」だと大きな批判を浴びています。

また、土壌改良費やインフラ整備などに費やされる費用は、会場となる人工島・

夢洲だけに限っても1・2兆円。万博名目で整備される広域道路などを含めると9・7兆円にも上ります。

吉村洋文大阪府知事は「復興支援と万博は二者択一の関係ではない」と強弁しました。しかし今でも資材価格の高騰や人手不足の影響は深刻です。これから万博に資材や人力、重機、巨額の税金が大量に投入されていくことになれば、被災地の復旧・復興にしわ寄せがいくことは明らかです。維新の会の馬場伸幸代表の、万博が「北陸の皆さんにも、新たな夢や希望を持って明るい将来に歩みを進めてもらえるイベントになるのではないか」という発言も、あまりにも被災地を軽視していると言わなければなりません。被災地の復旧・復興のためには万博を中止すべきです。

世論調査では「入場チケットを購入したいと思うか」という質問に対し、「購入したい」が10%、「購入したいとは思わない」が79%にものぼりました（毎日12月16日〜17日）。万博のテーマは「いのち輝く」、サブテーマは「いのちを守る」です。であるならば、万博はきっぱり中止して、被災地の復旧・復興のために全力を尽くすべきです。

たつみコータロー

もくじ

万博は今すぐ中止！　被災地の復旧・復興を

清水ただし　それでは初めに、元参議院議員・日本共産党大阪府委員会カジノ問題プロジェクトチーム責任者のたつみコータローさんより基調講演をよろしくお願いいたします。

万博はきっぱり中止を

たつみコータロー　みなさん、こんにちは。今日は「ストップ。万博・カジノシンポジウム」にたくさんお集まりいただきありがとうございます。元参議院議員のたつみコータローです。私からは基調的な講演ということで、この間の動きについて、そして日本共産党がなぜ2023年8月30日に万博中止を求める声明を出したのか、について改めてみなさんに報告いたします。

私たちの今回の声明は、万博の延期とか、場所を変えるということではなくて、きっぱり中止、万博はきっぱり中止という組み立てで声明を出しました。記者会見にはメディアの方たちもたくさん来ていただきましたが、中には「中止は言い過ぎではないのか」「なぜこの時期に出したのか」というような質問もありました。しかしこの声明を出して以降の2カ月間の万博開催に向けての動きを見れば、私たちの中止要請が正しかったことが、もうはっきりしたのではないかと思っています。

違法行為をしなければ万博が開催できない

パビリオンの建設が遅れていることも大問題ですが、何よりもその遅れを取り戻そうと、この間政府の中で議論されてきたことが、来年4月から始まる残業規制の適用除外というものです。つまり、建設労働者に長時間労働させられないから適用除外してくれと、こういう議論がされているという話でした。つまりこれは現行法を守っていれば万博が開催できないということです。

違法行為をしなければ万博が開催できない。こういうことに他なりませんので、そういう事業はすでに破綻しているということだと思います。みなさんご承知の通り、この残業規制というのは、過労死をなくすためのものです。ですからそれを取っ払えということは、過労死を出しても仕方がないと、そういう立場に万博の建設が立つということです。しかし今回の万博のテーマは「いのち輝く未来社会のデザイン」ですから、「いのち輝く」というのであれば、万博を中止するということが何より必要だということです

費用増大「納得できない」75・6％

そして会場の建設費です。報道されている通り、1250億円からこのたび1・9倍の2350億円にまで膨れ上がりました。しかしこれには誰も合意してません。私たちは認めてません。でもそれでもやるんだと、こういう報告をしてるわけです。想定が甘かったのですみませんと言い訳

をしますが、それは通用しないと思います。私たち庶民が、今の物価高は想定してなかったと言えば給料や年金を上げてくれるのでしょうか？　上げてくれません。あまりにもひどい費用の膨れ上がりだと言わなければなりません。

先日国会が始まり、岸田首相が建設の遅れなど進捗状況が厳しくなってることに強い危機感を持って、オールジャパンで進めていくと言いました。私はその危機感の無さに危機感を覚えます。

この間に世論調査が何度かされています。共同通信社の世論調査では、この費用の増大について「納得できない」が75・6％、「納得できる」が23・1％です。万博の是非については毎日新聞の調査では、「規模を縮小して費用を削減するべきだ」が42％、「万博をやめるべきだ」が35％ありました。このように縮小、そして中止というのが8割にのぼっている。ここまで万博に対する世論というのは、批判が高まってきたということだと思います。なぜここまで批判が高まっているのか。万博そのものへの批判。つまりこの時代にやるべきなのか、ということです。と同時に、カジノのための万博だということが見えてきたからではないでしょうか。

カジノのためのインフラ整備ができる

振り返ってみますと、2014年に大阪府・市がカジノIRを誘致することを方針として決定しました。カジノIRを誘致しましょうという方針を立てたわけです。そして2015年に当時の安倍晋三首相と菅義偉官房長官、そして橋下徹氏と松井一郎知事が忘年会をやります。このときにお酒を注ぎながら、一生懸命持論を展開したんだと松井さんの著書に書かれています。ここで政府として万博を誘致することを決めたという話です。

そして２０１６年、これは大阪ですけれど、万博基本構想検討会というものが行われました。実はそれまでは候補地の中に夢洲は入ってなかったんです。ところが２０１６年に突然、松井知事のトップダウンで、夢洲会場ということが決められてしまいました。時系列から見ますと、もうはっきりカジノのために万博を誘致するということが見えてくるわけです。なぜなのか。カジノは民間事業です。民間事業ではインフラも何もないから、民間事業のために税金を使ってインフラ整備をすることはできないわけです。そこで国策である万博を夢洲に誘致をすることができれば、カジノのためにインフラ整備が税金でできる、こういうふうに踏んだからこそ、夢洲で万博を実施することに決めたのです。

吉村知事は府民・市民に説明を

この間、万博カジノをめぐっては、維新の会の本質が浮き彫りになっていることを改めて報告をしたいと思います。大阪維新の会は、大阪で勢力を伸ばしてきたわけですが、彼らがなぜ勢力を伸ばしてきたのか。その一因は、古い政治を打破するということでした。古い政治というのは、かつての維新の前の府政です。オール与党政治、共産党以外が全部与党の政治で、80年代、90年代にテクノポート大阪構想と言って、それこそ湾岸地域に、ＡＴＣ（アジア太平洋トレードセンター）やＷＴＣ（ワールドトレードセンター）、りんくうゲートタワービルなど巨額の税金を使って大失敗をした。そういう古い政治を打破するんだと言って出てきたのが橋下徹氏であり、その後できた維新の会です。

しかしみなさん、今、維新の会がやっていることというのは、その打破すると言ってきた古い政治そのものではないでしょうか？ 古い政治となんら変わらないことをやっている、ということだと思います。

こういう政治では大阪は成長しないし、維新の会は「大阪の成長を止めるな」と言ってきたわけですが、これからの大阪の衰退を作ろうとしているのがこの万博・カジノだと言わなければならないと思います。最近ではもう商業新聞ですら、万博をめぐる混乱は動機の不純さと無縁ではないと言っています。これは朝日新聞ですけれども、まさに動機がカジノですから、こんなことでは駄目だということだと思います。

そして私は吉村知事に言いたい。昨日、この費用の膨れ上がり、膨張について万博協会から説明を受けたことをユーチューブで公開していました。そこではいろいろなことでこんなに増えたんだという話をしてましたけれども、ちょっと待ってほしい。吉村知事自身が万博協会の副会長ですよ。説明を聞くんじゃなくて、何でこれだけ膨れ上がったのか、区民や市民に説明する立場の人ではありませんか。

政府の決断で万博は中止できる

最後に、万博は止められます。止められるんですか？　止められるんです。経済産業省の万博推進室に改めて確認をしました。では中止のためには何が必要か。これはＢＩＥ（博覧会国際事務局）の3分の2の議決でできるということです。つまり日本政府が決断するということです。日本政府が決断をして、ＢＩＥにこの議案をかけて3分の2以上の賛成で中止が決定できます。日本が中止しようと言っているのに、他の国がやはりやるということにはなりませんから、これはもう日本政府が決断する。そしてあとは大阪府・市ですが。決断する主体は日本政府ですけれども、開催地である大阪府・市がやめようと言っているのに日本政府が嫌々やろうということにもならないと思います。私が言いたいのは、世論を高めて政治を変えていけば、大阪府・市並びに日本政府の態度を変えて万博を中止することができるということです。

規定では2024年4月12日までに中止を決定すれば、一応補償というのが必要ですが、入場料収入がもらえないということになりますので、チケット収入の2％の補償が必要にはなりますが、中止にできるのです。計算しますと、2024年4月12日までに決断中止を決断すると、その補償は350億円です。4月13日以降の決断になると830億円払わなければなりません。断然、今やめた方が傷は浅い。会場の建設費の増大もこれで済むとは限りませんから、ここで決断して中止を求めていくということが大事だということです。

さて今日のシンポジストのみなさん、盛りだくさんです。もう最強チームです。ぜひ万博・カジノストップ、これを確信していただいて、みなさんと一緒に市民の力でストップさせるために日本共産党も一緒に頑張る決意です。

清水　ありがとうございました。たつみコータローさんの基調講演でした。続きましてこの間、大阪市とカジノ事業者との土地契約について談合があるのではないかということを、開示請求を含めて様々な証拠を突きつけ、スクープを連発してきました「しんぶん赤旗日曜版」記者の本田祐典さんからスクープの裏側、「しんぶん赤旗」の値打ちについて講演をしていただきます。

カジノ用地賃料不当鑑定・談合疑惑を追及

本田祐典

「しんぶん赤旗日曜版」編集部の本田です。みなさんと追及してきた大阪カジノの疑惑がどこまで解明されたのか、そしてそれがなぜできたのかを報告します。（本稿の図はすべて「しんぶん赤旗日曜版」提供）

カジノリゾート（ＩＲ）用地は大阪湾に市が造成した人工島・夢洲内にある49万平方メートルです（**図1**、地図）。

この土地を巡っては、カジノ業者の求める液状化対策などで７８８億円（上限）の公金投入が決まっています。

私たちが問題にしている不当鑑定疑惑とは何なのか。それはカジノ業者が市に支払うＩＲ用地の賃料が安すぎるということです。それによってカジノ業者に利益供与をしている。賃料を安くするために不動産鑑定評価で談合などの不正をした疑いがあるということです。

2022年10月22日号でスクープ！

この疑惑を２０２２年10月２日号（9月28日印刷）でスクープし、これまで15回以上の記事を出してきました。なぜ赤旗日曜版がこの問題をそこまで厳しく追及するのか。最初のスクープの時に、たつみコータローさん（元参院議員）が、「事実ならカジノ誘致が吹き飛ぶ」とツイッター（現Ｘ）に投稿しましたが、まさにそういう重大な問題だからです。

国が２０２３年４月に認定した大阪カジノ計画の前提がこの格安な用地賃料です。１平方メートル当たり月額４２８円、全体で年約25億円ということが明記されています。この賃料が不当なら、用地の確保、資金計画、こういったものが崩れる。つまりドミノ倒しのようにカジノ計画が崩壊するということになります。

図1

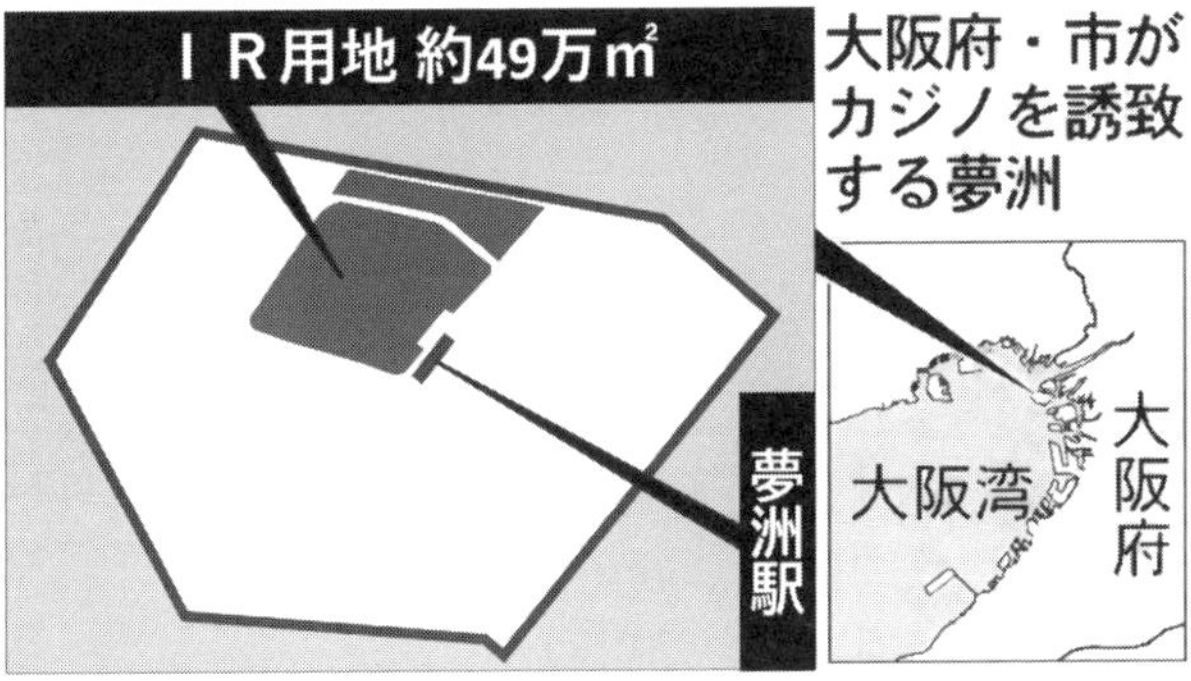
ＩＲ用地 約49万㎡
大阪府・市がカジノを誘致する夢洲
夢洲駅
大阪湾
大阪府

安すぎる賃料の違法性を追及して大阪カジノを止めるということで、２０２３年４月、市民10人が大阪市を提訴しました。今日のパネリストの藤永のぶよさん（おおさか市民ネットワーク代表）が原告団長です。

疑惑を不正として立証するためには「鑑定評価で談合があった」という証拠、「賃料が格安だ」という証拠を徹底的に暴露していくことが必要です。私たちがこの1年間でどこまで解明したのか紹介していきます。

鑑定業者3社の評価完全一致の疑惑

一つめの談合の証拠は、鑑定業者3社による賃料などの評価額が全て一致していたことです（**図２**）。

市が依頼した3社による２０１９年11月の鑑定評価は、結果が完全一致していました。土地価格も賃料も、賃料算定に使う土地の年間利益率もピタリと一致しています。これは宝くじ1等より低い確率で、これが偶然なら『奇跡』の一致」（「朝日」2023年2月1日夕刊）だとマスメディアも揶揄しています
もちろん奇跡はそう簡単には起きません。そうすると一致する可能性があるのは二つだけです。一つは業者同士で価格を示し合わせた「業者間談合」。もう一つは依頼者の市がわざと格安な価格に揃えさせた「官製談合」です。いずれにしろ不正です。

図2

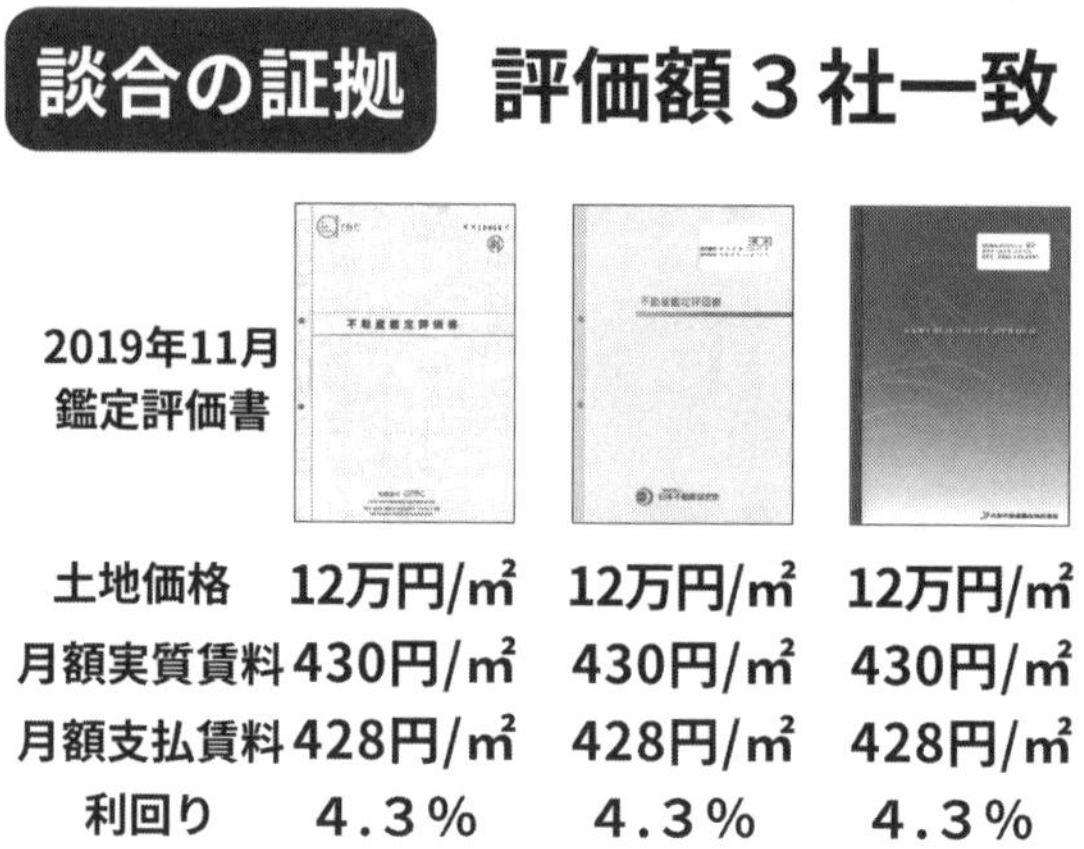
談合の証拠　評価額３社一致
2019年11月
鑑定評価書
土地価格　12万円/㎡　12万円/㎡　12万円/㎡
月額実質賃料　430円/㎡　430円/㎡　430円/㎡
月額支払賃料　428円/㎡　428円/㎡　428円/㎡
利回り　4.3％　4.3％　4.3％

図3

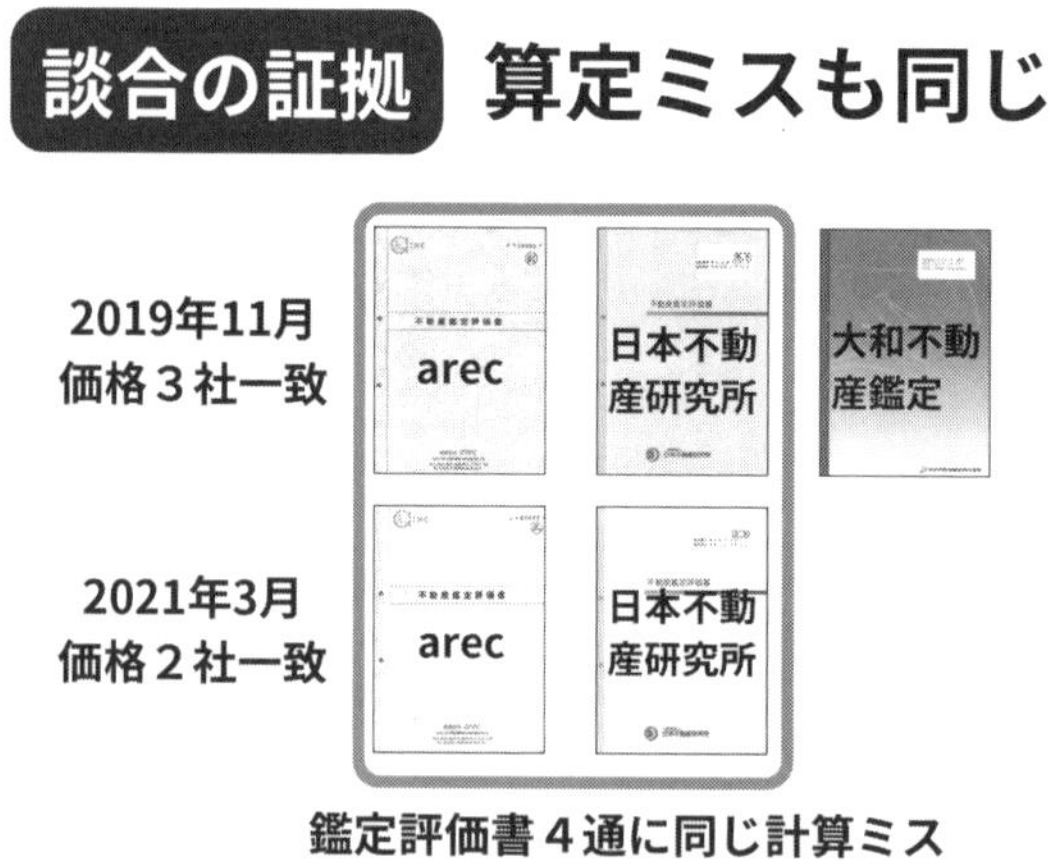
談合の証拠　算定ミスも同じ
2019年11月
価格３社一致
arec
日本不動産研究所
大和不動産鑑定
2021年3月
価格２社一致
arec
日本不動産研究所
鑑定評価書４通に同じ計算ミス

　二つめの証拠は、算定ミスまで同じだということです。19年に3社が一致、21年に2社が一致、この最後まで結果を一致させた2社の鑑定に重大な欠陥が見つかりました（**図3**）。計4通の鑑定評価書

に、全く同じ評価額の算定ミスがあったのです。2回目の鑑定で結果を一致させなかったもう1社は市が排除してしまったので、まともな鑑定評価書は一つも残っていません。そしてミスまで一致していたということで、ますます不正なしにはありえない一致ということになります。

“この価格にしろ”と指示

図4

談合の証拠　市が金額を示す

2019年9月、市から鑑定業者へのメール

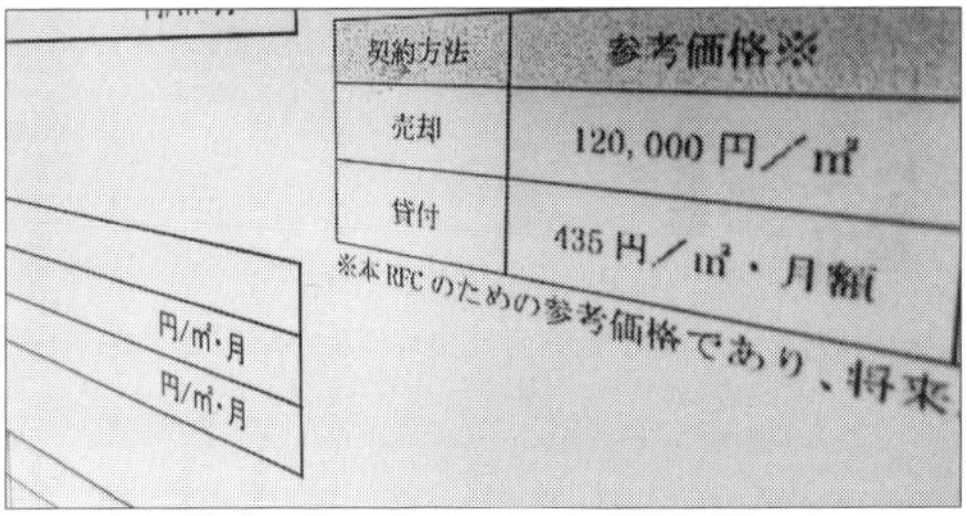
契約方法	参考価格※
売却	120,000円／㎡
貸付	435円／㎡・月額

※本RFCのための参考価格であり、将来

円/㎡・月

円/㎡・月

三つめの証拠は、鑑定前に市が予定額を決めていたことです。最初の鑑定結果が出る7カ月前の2019年4月に市がカジノ業者にIR用地の参考価格を示していました。実際の鑑定結果と比べると、土地価格は完全一致、月額賃料は5円差、利回りは0・05％の差です。もともと利回りの鑑定は小数点以下1桁までですから、いらない0・05％を切っているだけの違いです。

この鑑定前の予定額について、当時の松井一郎市長や吉村洋文知事はどう扱っていたのか。松井市長は市戦略会議で、「鑑定はほぼこの価格なのか」と確認し、これに市港湾局長が、「そうだ」と答えました。吉村知事は会見で、「売却なら1平方メートル12万円」などと公言し、「土地価格が上下すると、事業モデル構築が難しい。適正な金額を固

定」と説明しました。鑑定士でもないのに、実際の鑑定でも金額を変えないと宣言していたのです。

四つめの証拠は、市から金額を示していたということです。これは大阪市が鑑定業者に送ったメールの一部です（図4）。

いくらで鑑定するのか事前に教えろということで、業者に調査票を送り付けています。左側の空欄になっているところは業者側が記入する回答欄です。この右側にあるのが問題で、市から1平方メートル当たり12万円などを示しています。回答欄の隣に価格を示すという、非常に悪質なやり方で〝この価格にしろ〟と指示したのも同然です。

図5

格安の証拠 「2階建」で鑑定

カジノ計画の高層ホテル（計2500室）

区域整備計画から

鑑定で想定した施設

【想定建物の概要】
構造・用途：鉄骨造２階建　店舗

日本不動産研究所の資料から

ＩＲを除外して鑑定するように指示

次に格安の証拠を二つだけ示します。これは建設が予定されている二つの高層ホテルのイメージ図です（図5）。合わせて２５００室。シンガポールの巨大なカジノ、マリーナベイ・サンズと同じ規模です。ところが、鑑定で想定した土地の使い方は全く違いました。

郊外のショッピングモール用地として鑑定しています。市がＩＲを除外して鑑定するように条件設定していたからです。その結果、日本不動産研究所は2階建ての小さな店舗を想定し、その施設が生む利益にふさわしい土地価格を1平方メートル当たり12万円としました。

これは想定施設を2階建てから3階建てに変えるだけで土地価格が上がるという極めて杜撰な鑑定で、それ自体が格安の証拠になっています。実際は高さ１００メートル超の高層ホテルですから、わざと小さい店舗を想定した鑑定は安すぎるということになります。

鑑定ではＩＲ用地を駅から３・５キロメートル離れた土地としました。たとえば、日本不動産研究所の評価書をみると、隣の咲州にあるコスモスクエア駅を「最寄り駅」と記載しています。他の鑑定評価書も同様です。

図6

格安の証拠　新しい駅を無視

鑑定＝駅から3.5キロ
実際＝駅前一等地

夢洲駅2021年2月©Google

実際は夢洲駅前の一等地です。２０２１年2月にはすでに駅舎の工事が進んでいます（図6）。つまり2回目の鑑定、21年3月の鑑定のときには着工済みでした。着工済みの駅を無視した鑑定では不当に安いということです。

大阪市の公文書隠しとその経過

追及の中で発覚したのが、大阪市による公文書隠しです。鑑定業者などとやり取りしたメール１９８通を隠し、この中には市が鑑定中にみずから鑑定業者に格安の金額を示した証拠も含まれていました。

文書隠しの手口は、まず市のサーバーからメールを外付けハードディスクにコピーして、次に元のメールをサーバーから削除し、外に移していたコピーは公文書として扱わないというものでした。公文書隠しの経過は以下の通りです。

①2022年9月22日、赤旗が市に疑惑を指摘→9月25日、市担当者が鑑定業者とのメールなどをサーバーから外付けハードディスクにコピーし始める。

②11月2日、赤旗が鑑定業者とのメールなどを情報公開請求→11月15、16日（開示決定の期限）、市担当者がサーバーにあった元のメールを削除して「不存在」とし、コピーも隠す。

宮本たけし議員への国土交通省答弁

「赤旗」が疑惑を指摘するとメールのコピーを始め、「赤旗」が情報公開請求すると元のメールを削除する。こうした経緯を見れば「赤旗」や共産党の追及を逃れる妨害工作だったことは明らかです。

なぜ市がそこまで追い詰められたのか。それを知るうえで大事な国会答弁が2022年10月27日にありました。宮本たけし衆院議員の追及に対して、国土交通省がこう答えたのです。「不動産鑑定評価の依頼者が価格を提示して、それに合わせて鑑定すると違法な不当鑑定になる」。まさに大阪市がやっていたことです。鑑定業者に市から金額を示したメールは不当鑑定の証拠なので、これを出せばまた「赤旗」にスクープされると恐れていたということです。

２０２２年10月27日、宮本たけし議員への国土交通省答弁（衆院総務委員会）
「依頼者が価額を提示して、それに合わせて不動産鑑定士が不動産鑑定評価書を作成した場合には、不動産の鑑定評価に関する法律第四十条第一項に規定する不当な鑑定評価等に該当し得る」

２０２３年7月7日、たつみさん、山中智子大阪市議団長、井上ひろし市議と一緒に大阪港湾局を訪ねて直接謝罪を受けました。私が「『赤旗』の情報公開請求を知っていてメールを消したのか」と尋ねたら、市側はこう言いました。「知った上で消した」。この1週間後に鑑定業者とのメールが部分公開され、市から金額を示した証拠が出てきました。

なぜ「赤旗」がスクープできるのか

なぜ「赤旗」がスクープできるのか、追及を連打できるのか。まず大前提として、維新がトップダウンで進めた大阪カジノがデタラメすぎたということがあります。その上で大事だったのが、市民運動、党組織、議員の活動、それから専門家の知見でした。これを結集したからこそ、ほかのメディアではなく「赤旗」がスクープできたのです。

スクープの出発点は大阪カジノを監視し、その中止を求めてきた市民運動や会計の専門家との議論でした。昨年の春、カジノに反対する大阪連絡会の中山直和さんが収集していた市の公文書をいただき、その中にＩＲ用地の賃料をイオンモール相当だとする記載がありました。そこから中山さんや桜田照雄・阪南大学教授、たつみさんらと「なぜこんなに安いのか」と話し合いました。

IR用地への公金投入を特集した際にコメントいただいていた元会計検査院局長の有川博さんからは、公金投入するなら土地の賃料を算定し直す必要があるのではないか、そういう指摘もいただきました。

スクープ記事の作成は、共産党や専門家との共同作業でした。たつみさんや清水ただしさん（元衆院議員）、宮本さんは、国有地を安く払い下げた森友学園事件を国会で追及していたので、土地の鑑定が重要だということがすぐわかる。宮本さんが専門家とのネットワークがあるということで一緒に検証し、これが第1弾のスクープになりました。

そしてその後のスクープの連打を支えてくれているのが専門家による支援です。最初のスクープを出した後も続々と専門家から協力の申し出をいただきました。こんな不正を許せば不動産鑑定業界が歪むと、我がこととして協力してくださる方々に今も支えられています。

スクープを支えた専門家の支援

スクープと並行して進んでいるのが、市民と法律の専門家による裁判闘争です。藤永さんや荒田功さん（カジノに反対する大阪連絡会事務局長）ら原告とともに、自由法曹団大阪支部のメンバーによる弁護団が格安賃料の違法性を追及しています。

たとえ「赤旗」がスクープしても、実際に社会を動かすのは大変です。行政や他のメディアがスクープを無視するからです。黙殺させないことが非常に大事になります。このカジノ用地の問題で、黙殺を許さず、大きなスクープへと押し上げたのは、党組織や議員、市民運動の力によるものでした。

図7

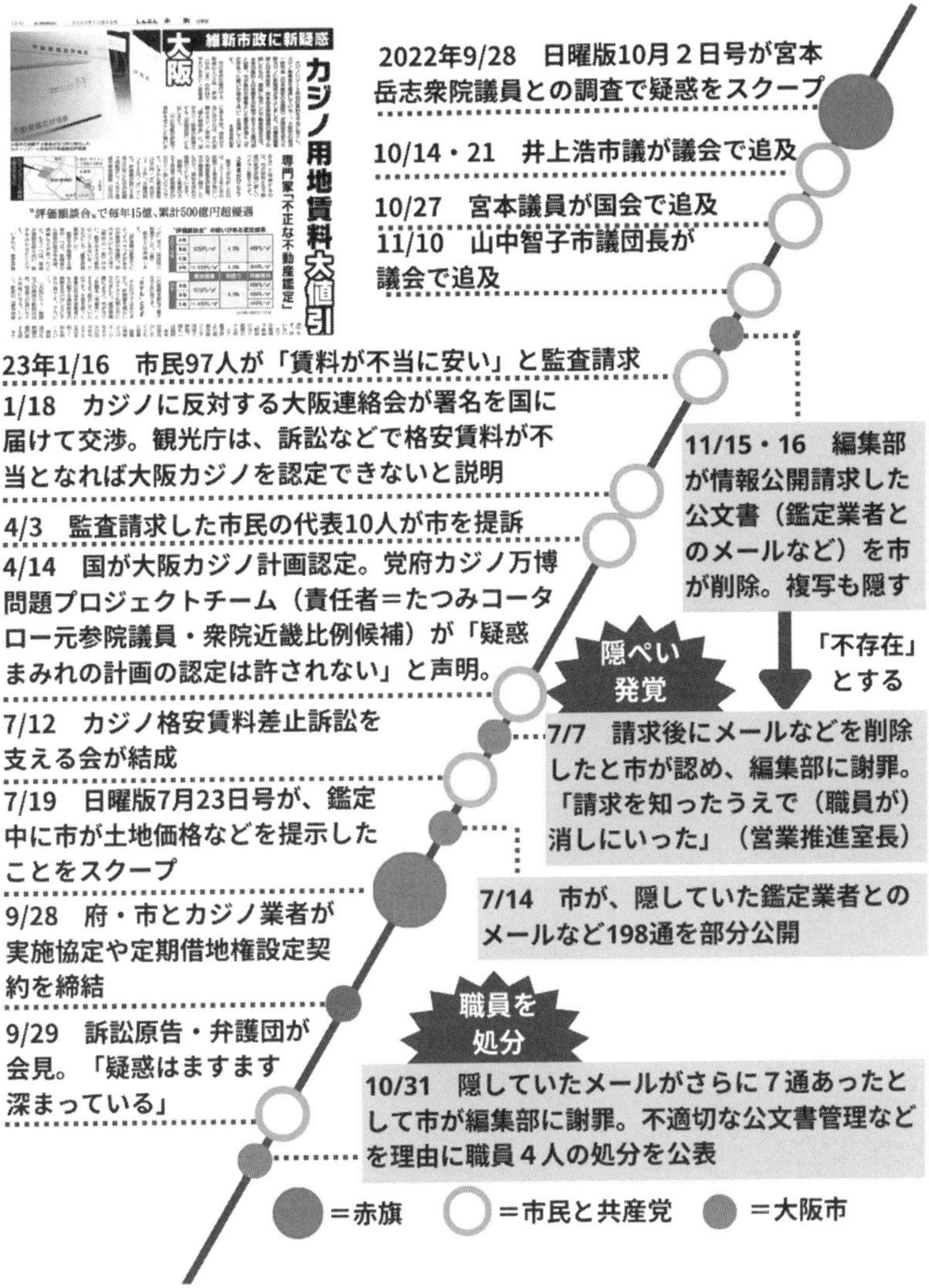
大阪
維新市政に新疑惑
カジノ用地賃料大値引
専門家「不正な不動産鑑定」
"評価額談合"で毎年15億、累計500億円超優遇
2022年9/28　日曜版10月２日号が宮本岳志衆院議員との調査で疑惑をスクープ
10/14・21　井上浩市議が議会で追及
10/27　宮本議員が国会で追及
11/10　山中智子市議団長が議会で追及
11/15・16　編集部が情報公開請求した公文書（鑑定業者とのメールなど）を市が削除。複写も隠す
「不存在」とする
23年1/16　市民97人が「賃料が不当に安い」と監査請求
1/18　カジノに反対する大阪連絡会が署名を国に届けて交渉。観光庁は、訴訟などで格安賃料が不当となれば大阪カジノを認定できないと説明
4/3　監査請求した市民の代表10人が市を提訴
4/14　国が大阪カジノ計画認定。党府カジノ万博問題プロジェクトチーム（責任者＝たつみコータロー元参院議員・衆院近畿比例候補）が「疑惑まみれの計画の認定は許されない」と声明。
隠ぺい発覚
7/7　請求後にメールなどを削除したと市が認め、編集部に謝罪。「請求を知ったうえで（職員が）消しにいった」（営業推進室長）
7/12　カジノ格安賃料差止訴訟を支える会が結成
7/14　市が、隠していた鑑定業者とのメールなど198通を部分公開
7/19　日曜版7月23日号が、鑑定中に市が土地価格などを提示したことをスクープ
9/28　府・市とカジノ業者が実施協定や定期借地権設定契約を締結
9/29　訴訟原告・弁護団が会見。「疑惑はますます深まっている」
職員を処分
10/31　隠していたメールがさらに７通あったとして市が編集部に謝罪。不適切な公文書管理などを理由に職員４人の処分を公表
＝赤旗
＝市民と共産党
＝大阪市

２０２２年12月に在阪メディアが初めて「後追い報道」するまでの流れを見てみましょう（**図7**、年表）。

10月に井上市議が議会で連続追及し、宮本議員も国会で取り上げ、11月に山中市議団長が取り上げ、そして12月にＭＢＳ（毎日放送）が初めてこの問題を報道しました。

年が明けると今度は住民監査請求や訴訟で市民が追及の中心となりました。２０２３年1月に住民監査請求、4月に提訴（カジノ格安賃料差止訴訟）、7月には訴訟を支える会が結成されて、この疑惑の追及を続けています。

カジノに反対する大阪連絡会が署名をもとに国への要請・交渉を続け、２０２３年1月の交渉では、訴訟などで賃料が不当となれば大阪カジノの認定はできないこと、認定後も取り消すことはありうるということを観光庁と確認しています。

市民とつくるスクープ報道

スクープの裏側、「赤旗」の役割ということで言いますと、今回のように〝市民とともに、市民とつくるスクープ〟、これで不正を暴いていくというのが「赤旗」らしいスクープではないかなと私は思っています。赤旗記者が特殊能力を持っているわけではありませんが、みなさんと力を合わせればスクープを出し続けることができます。

維新府政・市政の疑惑追及はまだまだ続きます。スクープを生み出すのも、スクープを黙殺させないのも、みなさんの力が必要です。ぜひ「赤旗」を応援してください。これからも一緒にスクープをつくっていきたいと思います。私の報告は以上です。ありがとうございました。

清水　ありがとうございました。「しんぶん赤旗日曜版」記者、本田祐典さんよりスクープの裏側、「赤旗」の値打ちについて語っていただきました。「赤旗記者が特殊能力を持っているわけではなくて」と謙遜されていましたが、物事の本質を見抜く力と、根気よく追及していくという姿勢がなければ、これだけ世間を揺るがすようなスクープを連発し続けるということはできないと思います。今、拍手していただいたみなさん、ぜひ「しんぶん赤旗日曜版」をご購読いただきたいのと、またすでに読んでおられる方は、周りの方々に増やしていただくということにもご協力をいただければと思います。

それではこれより、パネリストのみなさんと一緒に万博カジノ問題のシンポジウムを進めていきます。初めにパネリストのみなさんを紹介いたします。舞台に向かって右手より、日本共産党大阪市会議員団長の山中智子大阪市会議員、阪南大学教授の桜田照雄先生で、おおさか市民ネットワークの藤永のぶよさん、そして静岡からお越しいただきました静岡大学教授の鳥畑与一先生です。また先ほど基調講演いただきましたたつみコータローさんにも参加していただきます。

先ずはそれぞれのパネラーのみなさんより約10分間の報告をいただき、その後休憩を挟んで深掘りしていきたいと思います。初めにご報告いただきますのは鳥畑与一先生です。テーマはカジノ問題、特に経済効果の面など、本当にそれだけの効果があるのかということなどにもついて詳しくお話いただきます。

「お前はすでに…」大阪IRの崖っぷちな状況

鳥畑与一　ご紹介いただきました静岡大学の鳥畑です。大学は大阪市立大学に大学院含めて十数年いました。ただもう静岡大学にも行って久しいので、もう大阪弁は忘れていますのでご容赦願えればと思います。与えられた時間は10分ですのでできるだけ簡潔に、赤旗さんのようにわかりやすい資料を作る能力はありませんので、大学の授業はこんなにわかりにくいことをやっているんだなということで我慢していただければと思います。

今、大阪IRが崖っぷちの状況ということで、先ほどはたつみさんからカジノのための万博ということで、もしかして万博をしくじったらせっかくの大阪IRもダメになってしまうのか。大阪IRを成功させるために万博は何としても無理して頑張らなあかんのかなと思ってる人が万が一いるとしたら、それは違いますと言いたいと思います。万博が崖っぷちにあるんだったら、落ちた先には大阪IRという泥沼があるということです。

区域整備計画評価60%でゴーサインを出した

今回、大阪IRの区域整備計画が「優れた」計画だと認定されました。私も大学で学生の成績を優・良・可とつけますが「優れた」というというのは得点率80%以上です。でも今回はなぜか60%で「優れた」ということになっています。結果だけ見るとなぜ60%で「優れた」となったのか、それがよく

郵　便　は　が　き

料金受取人払郵便

大阪北局
承　　認

1860

差出有効期間
2025年
3月31日まで

５５３-８７９０

００７

大阪市福島区吉野
３-２-35

日本機関紙
出版センター行き

【購読申込書】

＊以下を小社刊行図書のご注文にご利用ください。

[書名]　[部数]

[書名]　[部数]

[お名前]

[送り先]

[電話]

ご購読、誠にありがとうございました。
ぜひ、ご意見、ご感想をお聞かせください。

[お名前]

[ご住所]

[電話]

[E-mail]

①お読みいただいた書名

②ご意見、ご感想をお書きください

＊お寄せ頂いたご意見、ご感想は小社ホームページなどに紹介させて頂く場合がございます。ご了承ください。

ありがとうございました。

日本機関紙出版センター　でんわ 06-6465-1254　FAX 06-6465-1255

図8

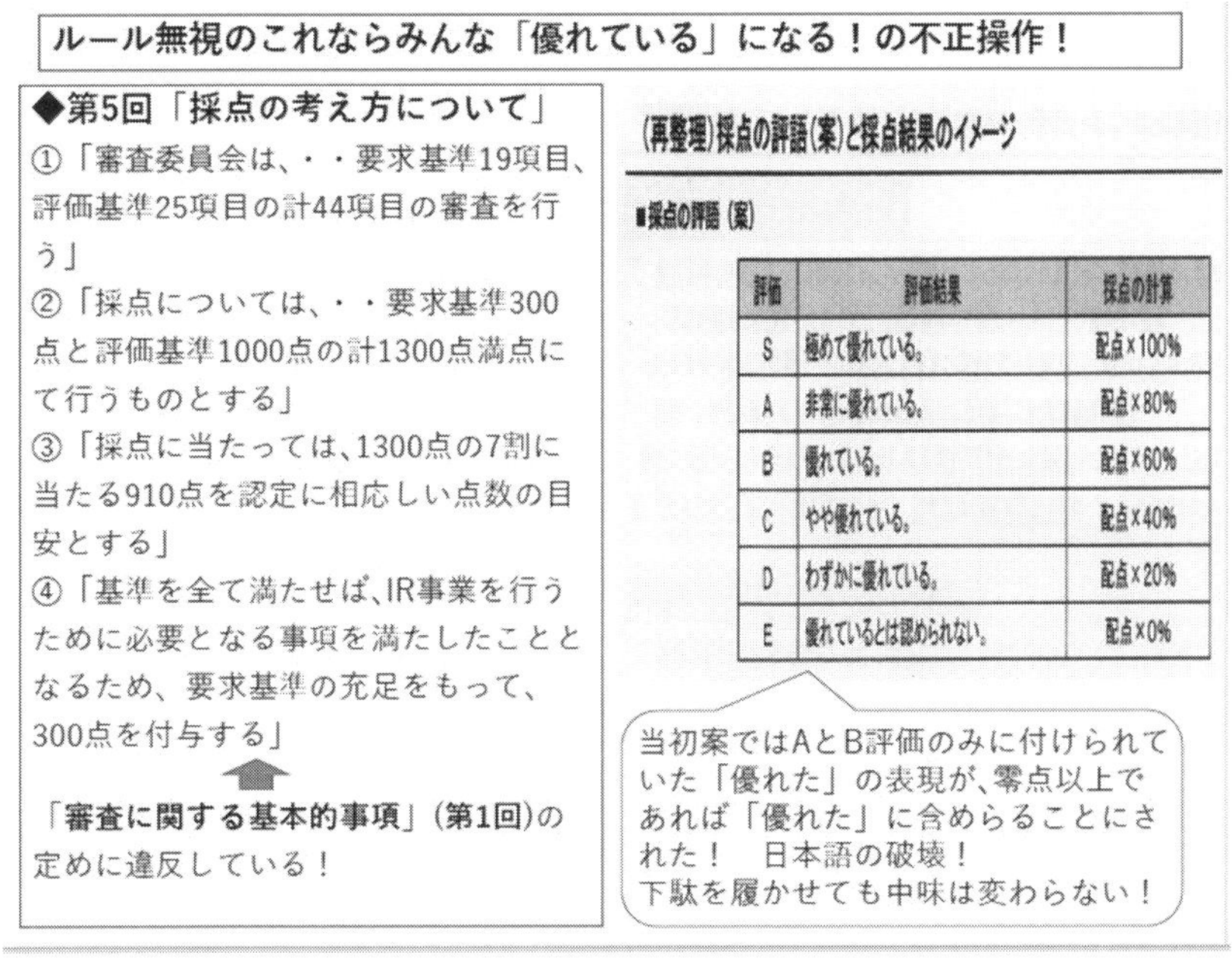
ルール無視のこれならみんな「優れている」になる！の不正操作！
◆第5回「採点の考え方について」
①「審査委員会は、・・要求基準19項目、評価基準25項目の計44項目の審査を行う」
②「採点については、・・要求基準300点と評価基準1000点の計1300点満点にて行うものとする」
③「採点に当たっては、1300点の7割に当たる910点を認定に相応しい点数の目安とする」
④「基準を全て満たせば、IR事業を行うために必要となる事項を満たしたこととなるため、要求基準の充足をもって、300点を付与する」
「審査に関する基本的事項」（第1回）の定めに違反している！
(再整理)採点の評語(案)と採点結果のイメージ
■採点の評語（案）
評価　評価結果　採点の計算
S　極めて優れている。　配点×100%
A　非常に優れている。　配点×80%
B　優れている。　配点×60%
C　やや優れている。　配点×40%
D　わずかに優れている。　配点×20%
E　優れているとは認められない。　配点×0%
当初案ではAとB評価のみに付けられていた「優れた」の表現が、零点以上であれば「優れた」に含めらることにされた！　日本語の破壊！
下駄を履かせても中味は変わらない！

出所：鳥畑作成パワーポイント

わかりません。９月にこの区域整備計画の審査に関する黒塗りばっかりの資料が出てきました。それを見てびっくりしたのですが、最初は真面目に「優れた」というのは、やはり75％以上にしようかと提案されています。国内でいろんな他の例で事業が採用されるときは、大体これぐらいで「優れた」と評価するのがスタンダートだからです。

　ところがそこからいろんな細工をやるわけです。区域整備計画の評価は「要求基準」をクリアしたものを審査委員会が１０００点満点で評価することになっていました。ところが「要求基準」に３００点与えて、「要求基準」をクリアしたらそれだけで３００点満点を与えましょうと提案されるわけです。つまり下駄をはかせようとしたわけです。すると300点満点にあと「評価基準」分1000点を審査委員が評価すれば、「評価基準」は610点でも何とか全体で7割を超えて「優れた」という格好がつけられるんじゃないかという訳です。

しかしさすがに審査の中では、それは無茶だろうということで、下駄を履かせることはダメになりました。すると下駄をはかせることが無理だったら今度は、「優れた」という基準を引き下げましょうということになったわけです。さらにいろんな点数の表現ですが、これをみんな「優れた」という表現にしましょうとなりました。

最初は真面目に「非常に優れている」をA、「優れている」をB、これを75パーセント以上にしましょうということで審査委員会に提案をされていました。その後いろいろ議論があり、今度は「みんな優れている」「極めて優れている」「非常に優れている」「優れている」「やや優れている」「わずかに優れている」と、ともかくみんな「優れている」にして、それで6割を超えれば「優れている」ものと見做してゴーサインを出しましょうということになったのです。

事業者の解除期限を3年先延ばしへ

こんなことを大学で我々がやったらクビですが、こういうことを国が行いました。そして無理やり6割、大阪IRはこれが658点でしたが、これでなんとか「優れた」ということにしてゴーサインを出したわけです。しかしいくら何でも、中身がデタラメで無茶苦茶なものを「優れた」と体裁をとってもダメなものはダメなのです。その結果、大阪府市とIR事業者が「実施協定」を結ぶときに事業者側が何と言ったかというと、「事業前提条件が成就していません」と言ったわけです。この区域整備計画が認定されたら、基本協定というのがあって、認定されたら1カ月以内に契約解除するかしないかを判断することになっていました。これを3カ月延ばしてすったもんだしたわけですけども、そこに出てきた資料を見ると、事業者は、「事業前提条件がありません」と判断していた。だから解約条件を3年間延ばしましたけども、延ばさなかったら、私たちは解除しますと言っていたわけです。それで解除期限を無理やり3年も先延ばしした。つまりいくら国が無茶苦茶な計画を「優れた」と言っても、ビジネスとして儲けようと思っている側からすれば、こんなものにビジネスとしての見込みはありませんから、私たちは契約しないと言ったと思うんです。でもそれを一生懸命引き留めた。どうやって引き留めたのか。それが最終盤、たぶんいろいろ資料を黒塗りにして出てこない部分で、やり取りがされたんだろうなと思うわけです。

ビジネスとして成り立たないカジノ

その事業実施の前提条件を基本協定では七つぐらい言ってました。重要なのはこの④の開発です（図10）。財務も含めてどれぐらいビジネスとして見込みがあるんだという部分になるわけです。ここで何が議論されたかというと、それが財務の安定性ということです。要するに儲からないリスクが高いんじゃないかということです。

いろいろ遅れて建設コストが増えることもあるけど、中国人のお客さん、特にＶＩＰのお客さんが減るんじゃないか。競合施設ができて大阪ＩＲの競争力がなくなるんじゃないか。日本人をターゲットにして儲けようと思うけども、日本人が来てくれないんじゃないか。そういう議論がされたわけで

図9

事業前提条件の状況と対応について

【事業者の見解】

・**判断基準日において事業前提条件が成就していないものと判断。**

・事業実現に向けた意思に変わりはなく、引き続き、**事業実現に向けて必要な手続きや準備を進め、事業実現に向けて最大限尽力してまいりたい。**

・他方で、**条件が成就していない現状においては、最終的な事業実施判断を行うことができる状況にない。**

・現時点においては、基本協定を解除しないこととし、**条件に基づく解除権を規定する等、合理的に必要な範囲の修正を行ったうえで実施協定の認可申請を行っていきたい。**

【府市の考え】

・判断基準日において事業前提条件が充足しておらず、**最終的な事業実施判断ができないことにも相応の合理性**がある。

・SPCは、継続的に相当の資金投下をしながら、設計、調査、工事調整等の各種準備作業を進めているところであるが、今般の約1,900億円にのぼる事業費増加に対しても、中核株主２社自らの追加投資という非常に大きな経営判断を行うなど、**事業実現に向けた強い意志**を有するとともに、**事業実施に向けた具体的な事業進捗**も認められる。

・**条件未充足の場合におけるSPCの解除権を実施協定に規定**した上で、引き続き、府、市及びSPCで緊密に協力・連携し、実施協定の認可申請を含め、**事業実現及び早期開業に向けて必要な手続き及び準備を進めていく。**

図10

◆７条件のどれが成就していない？

① **税務上の取扱い**→変更なし

② **カジノ運営委員会規則**→変更なし

③ **資金調達**→CLから融資契約の締結

④**開発→ここの綱引きが最終まで継続？**

・土地又は土壌に関する悪影響が生じていないこと

・公共インフラ整備等の制限が投資リターンに著しい悪影響を与えないこと

・**「総費用が1.27兆円から増加することが見込まれないこと」**

⑤**新型コロナウィルス感染症**→変更なし
観光需要がコロナ前の水準までの回復

⑥**財務**→変更なし

⑦**重大な悪影響**→変更なし
コントロールできない著しい悪影響

融資の確実性、土地問題の費用負担、収益の見込みが大きな争点になっていた

出所：鳥畑作成パワーポイント（左）、2023.9.5第10回副首都推進本部（大阪府市）会議資料2（上）

す。これでかなり紛糾したと思うんですが、最初はだいたい２０２２年10月ごろに認定しようと予定されていました。それがぐっと先延ばしになって今年の4月になりました。

ではなぜビジネスとして成り立たなくなったのでしょうか。そもそも大阪ＩＲの前提は、日本でもマカオ並みに儲かることが前提だったのです。なぜマカオは

儲かるかと言えば、中国のお金持ち、ＶＩＰギャンブラーが散々お金を落としてくれていた。そのお金持ちたちが日本にも来てくれるんじゃないかということでスタートしたわけです。ところが今、マカオのＶＩＰ市場は崩壊状態になっています。去年暮れにコロナ対応の規制がなくなりましたので、中国人の客も含めてお客さんは9割方戻ってきていますが、カジノの儲けは3割ぐらい減っている状態です。もっとひどいのはＶＩＰのお客さんが落とすお金が7割減っていることです。それがなぜ減ったかというと、中国政府がギャンブル規制を強めており、２０２１年ですが、組織的に中国人客を海外に連れて行きギャンブルをさせることを刑法上の犯罪とすることで刑法を改定した。それからブラックリストを作成して中国人が海外にギャンブルに行くのを取り締まるようになりました。

それから昨年マカオ政府は、カジノ法を変えて、いわゆるジャンケットという、中国のお金持ちを連れてきてお金を貸して散々ギャンブルをさせる商売を規制しました。さらにマカオのカジノ企業に対しては、脱中国、脱ＶＩＰギャンブラーでカジノ以外のエンターテイメントを充実しなさいという方針を出しました。そのため昨年末に新しいライセンスが再交付されましたが、ライセンス期間は10年間でその間にカジノ企業6社は約2兆円を投資しますと約束しました。その九十数パーセントはカジノ以外に投資します。国際会議場、国際展示施設、エンターテイメント施設、ホテルなどに中国以外の国際客を海外から連れて来ますとＭＧＭを含めて約束しました。

するとＭＧＭやラスベガスサンズがどういうことを言ったか。日本に事務所を作って日本人客をマカオに連れてきますと約束しているわけです。つまり10年後、日本で大阪ＩＲができる頃には大阪ＩＲなんかが吹けば飛ぶようなマカオのＩＲが六つも七つもできている。私、この3月にマカオに行ってきました。マカオのコタイ地区には本当にアメリカのラスベガスみたいな地域ができています。そこから大阪ＩＲを見ると、あんなところに中国人は行くのかって、逆に思ってしまいました。

それから、とにかく1兆円も投資し箱モノを造ってそこにお客さんを集めて、ギャンブル漬けにするという、いわゆる箱モノのカジノは衰退産業で儲からなくなっています。今はオンライン、インターネットのギャンブルがどんどん広がり、ＭＧＭ自身がオンラインギャンブルにものすごく力を入れています。

常習性が高まると依存症がひどくなる

最後にこれだけは言わせてください。公表された審査資料を見て酷いなと思ったのは、大阪ＩＲはスロットマシンの数が６４００台ととにかくすごく多いのです。日本で最大のパチスロのある店舗で３０００台です。大阪府で最大の店舗は１４００台です。単に数が多いだけじゃないのです。ＭＧＭとのやり取りの中で審査員の方が、スロットはギャンブルの中でも依存症を誘発するリスクが高い、やはり有害なもので危険なものじゃないですかと指摘すると、そんな事実はないとＭＧＭが説明してるのです。アメリカでカジノが広まったけども、依存症率は増えてないと言うのです。

でもこれは大ウソです。アメリカでＮＣＰＧという団体が全米で調査していますが、それによるとやはり常習性が高まると依存症が酷くなるというデータを出しています。また１９９９年と２０１３年に時系列で全米を対象にした調査がありますが、そこでもギャンブル場に近い地域の人で常習性が高まる人ほどギャンブル依存症になる確率が高くなると出ています。ところが「そういう

図11

ギャンブル依存症についてのMGMの嘘

◆「ギャンブルの中で、電子ゲーム機が最も依存症が高い」ことを踏まえた具体的な対応策を問う意見(第3回21.7.25)に対して

§ヒアリングで事業者（MGM)側は　23.2.10

①「電子ゲーム機の台数が必ずしも多いとは考えていない。また、電子ゲーム機によって有害な影響が増すとも、必ずしも考えているわけではない」

②「問題の在るギャンブル行動が増加する事例というのは把握していないが、そういった懸念があることを認識し、・・対策につとめて参る」

③「最大のポイントは過去30年間アメリカでギャンブルが拡大したにもかかわらずギャンブル依存症の有病率が1%以下にとどまっている点である。」

→論拠：NCRG(現在はICRG)の調査　Exposure理論とAdapatation理論

①有病率という誤魔化し　一定エリア内の無作為抽出のサンプル調査では率と合法化州の数は連動しない！　横の広がりと深さは無関係

②根拠のいい加減さ　NCRGの調査は方法も対象も異なる調査結果を並べただけ！

③事例と調査はある　NCRGが無視する99年と13年の全米対象の同一方法の調査結果では、カジノ近隣＆常習性で依存症率が高まっている

④依存症率のみ強調することの誤魔化し　巻き込む病気と依存症者への収益依存

出所：鳥畑作成パワーポイント

データがあることを私たちは知りません」とMGMは平然という訳です。

　さらに言えば、依存症率1%ぐらいで少ないですとよく言います。そしてこれが増えないように努力します、増えなければ問題ないんでしょ、という言い方をMGMはするわけです。でもこの種の調査はサンプル調査です。一つのエリアで無作為抽出のサンプル調査をするので、ギャンブルをしてない人も母数に含まれますから当然依存症率は低くなります。しかしギャンブルをやっている人を対象にして依存症率を調べれば高く出てきます。またアメリカでカジノを合法化しているところが2州から33州に増え16倍になったのに、依存症率は16倍になっていない、横這いだから問題ないでしょと言いますが、これはウソです。つまり、1州、

2州だろうが33州だろうが、一つのエリアにして無作為抽出のサンプル調査をすれば依存症の「率」は変化しません。しかし「率」でなく「数」でみれば、カジノ州の増大で依存症者は増えていきます。

カジノという衰退産業に30年、50年も地域社会の身を預けるのか

そして最後の最後ですが、依存症率が1％や2％と低いからあとの九十数％の人は健全で問題ないと、みなさん思いますか。それは違います。今、海外の依存症研究で「公衆衛生アプローチ」という考え方が広がっています。つまりギャンブル被害とは依存症率、いわゆる問題ギャンブラーだけではなくて、周囲を巻き込む病気なので症状が軽い人でも、ものすごい被害があり、ギャンブルをしていない人も巻き込まれてしまう被害があるし、社会全体としてものすごく害悪が高いという研究結果がどんどん出ているのです。また問題ギャンブラーの人は平均的に負けてるわけではありません。つまり、のめり込んだ人が大負けする。この大負けする人をどれぐらい作り出すかによって、カジノ側の儲け、収益率が左右される。これについてはこの4月にイギリスでデータが出ています。つまり、依存症になっている人にカジノ企業側は大半の儲けを依存しているということです。だから大阪で依存症率が1～2％だから大丈夫だということではなくて、カジノとは数百万円や数千万円と大負けして、家庭崩壊を招いてしまう人を、何百人も何千人も作り出すビジネスであり、そういう衰退産業に30年、50年も地域社会の身を預けるのですかということです。そんなバカなことは本当に万博と一緒にサヨナラしましょう。

清水　最後の最後の最後までお話をいただきました（笑）。今の鳥畑先生の講演は非常に優れた報告だったと思います。いかに区域整備計画がデタラメだったかということについても詳しくお話いただきました。また後ほど、突っ込んだ質問でより深く教えていただきたいと思います。続きましておおさか市民ネットワーク代表の藤永信のぶよさん、よろしくお願いします。

夢洲は市民の資産　万博やカジノで破壊するな

藤永のぶよ　私は夢洲の土壌問題についてお話しします。今日の資料を、ぜひＭＧＭの方にも見ていただき、「夢洲カジノは辞めておこう」と考え直されることを期待します。

夢洲の万博・ＩＲの会場は今、こんな状態になっています（**図12**）。4月18日、前日は、ひどい雨でしたので、地面はドロドロで、川となって地下鉄工事現場にも流れ込んでいます。夢洲は埋立途中ですから、雨には弱いのです。

松井一郎さんと吉村洋文さんは「夢洲は負の遺産だ」と言いますが、これは大間違いです。夢洲はまだ埋め立て途中で、市民の税金をたくさん注ぎ込んだ市民の資産です。気候危機のなか、日本でも自然災害がいっぱい起こって、そのたびにたくさんの災害ゴミが出ます。自治体はその処理と処分にみんな困るわけです。大都市大阪が、その最終処分場を自前で持っていることは素晴らしいことです。これを延命させることこそが行政のトップの仕事です。その埋め立てを止めさせて、万博・ＩＲ・カジノなどの開発をすること自体が間違っています。

夢洲に上陸するには、1本のトンネルと1本の橋、この二つのルートしかありません。ここに、コンテナヤードのトラックとＩＲ工事のトラックと、万博開催中には往復９５００台のシャトルバスが集中します。渋滞して無理です。

そして、軟弱地盤・地盤沈下について言いたいです。１８００年前、大阪平野は海の中でした（**図13**）。

図12

出所：藤永作成パワーポイント（写真：大阪港湾局提供）

図13

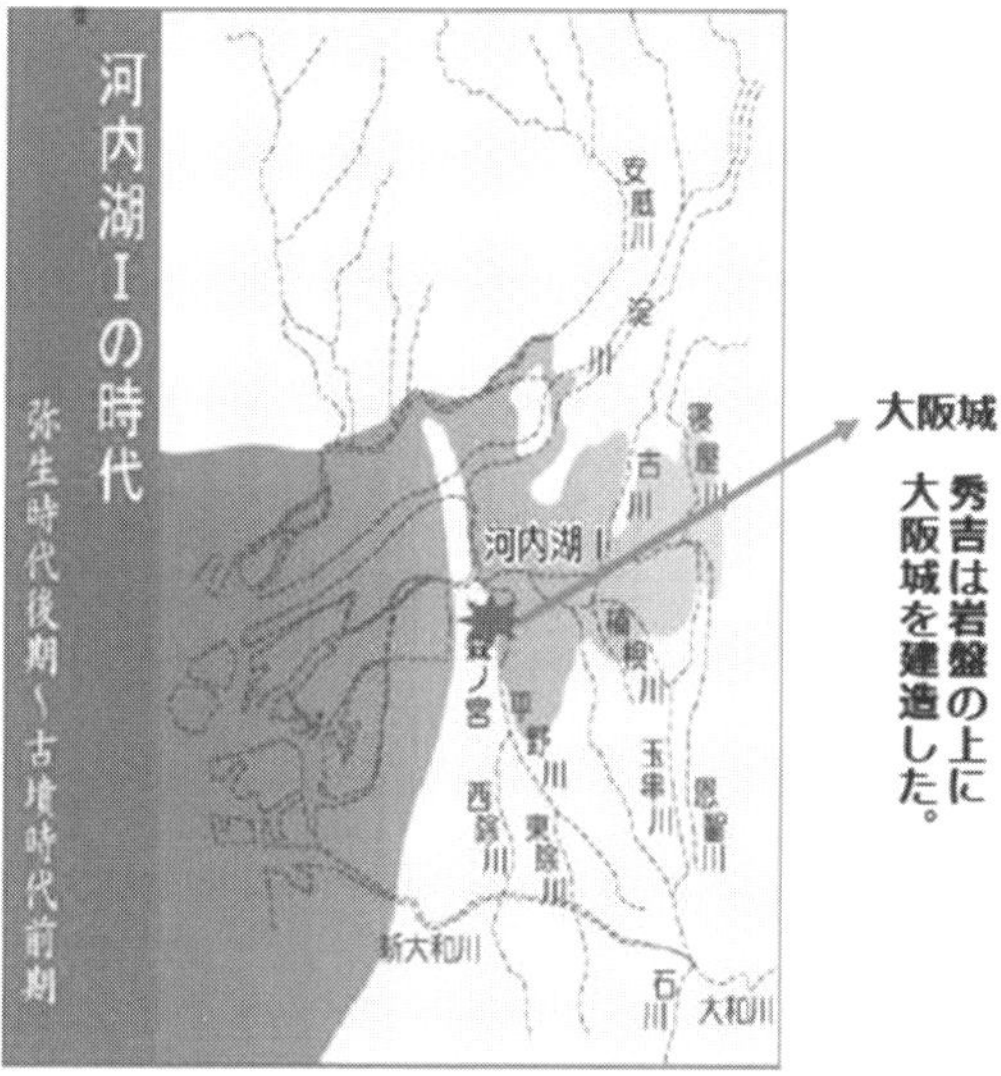

出所：藤永作成パワーポイント（地図は「水都」大阪物語、橋爪紳也、2011年より）

しっかりした地盤・岩盤は、上町台地だけです。２００７年、中央大通りを東西に切った地盤地図が出版されました。これを見たときはうれしかったです。中央大通りの上町台地は１５０メートル下まで岩盤で繋がっています。豊臣秀吉は賢い！　この岩盤の上に大阪城を造っています。あべのハルカスは岩盤の根元です。この

図14

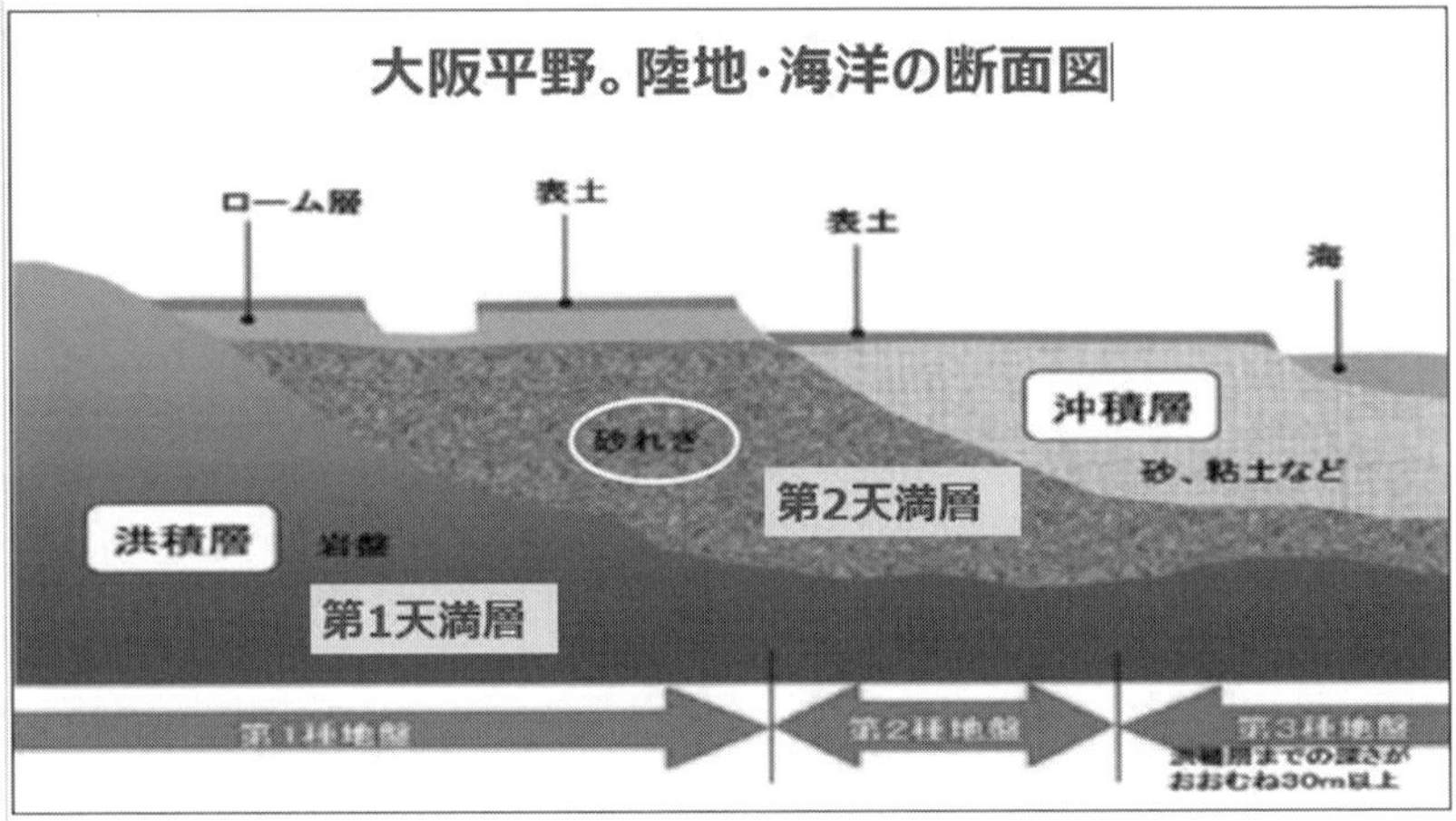

出所：藤永作成パワーポイント

大阪城の横に大阪府庁舎がありました。ところが、その大阪府庁舎を、海の中に持っていこうと言ったのが橋下徹という知事でした。東日本大震災で、長周期振動で横揺れし、「防災拠点になれない…」と、全面移転をあきらめましたが、庁舎移転案が大間違いです。

この大阪平野を横にスパッを見るとこうなっています（**図14**）。この150メートル下の岩盤層は第1天満層と呼ぶそうですが、その次に砂などが混じってカンカンに固まった第2天満層ができました。その上に、お豆腐みたいな層・沖積層が30メートルぐらい続き、その上に盛り土した平野です。この海の中に埋め立て場として造ったのが夢洲、舞洲、咲州です。それぞれ水深が違います。咲州は5メートル、舞洲が8～10メートル、夢洲は10メートル以上です。夢洲は、面積が広く、最後の埋立場だから、たくさんのゴミを埋め立てられるように、25メートル下まで、サンドドレーンという砂杭を打って、固めています。

夢洲は4区に分けられています。それぞれ埋め立てた

図15

出所：藤永作成パワーポイント(写真：大阪港湾局提供)

ごみの質や管理者が違います。夢洲といっても一概に語られないのです（図15）。

1区は一般ゴミの管理型処分場で、絶対に人が入ってはいけない危険な場所です。大阪市内の家庭や事業所から出た焼却ゴミなどが過去30年で1800万トン、そのうち焼却灰やススなど有害なものが860万トン埋められています。この立入禁止の場所が、いつの間にか万博会場になっています。本当に恐いことです。

そして2区が万博会場です。2区の南半分はドロドロの水面です。3区がIR・カジノの場所です。この2区と3区は、産業廃棄物の建設残土や浚渫土砂を埋め立てた安定型処分場です。また、夢洲開発には、瀬戸内海の環境を守るための法律の厳しい規制がかかっていますから、夢洲からの排水は、基準値以外のものは一滴も大阪湾に流したらいけないという規定です。実はこれが夢洲のこれが泣き所です。雨が降っても、ポンプで大阪湾へ流せばいいのではありません。

この2区・3区の地盤には、プラスチックの水抜き菅が75万本、188億円の市税を使って施工され、水抜き・地盤固めされていますが、あくまでも「ごみをたくさん埋めるための地盤対策」で、高層ビルを建てるための地盤対策ではありません。

4区は、すでにコンテナヤードとして運用開始しており、国の費用で造られた場所です。コンクリート殻と購入土で造られ、ゴミは埋め立てていません。しかし、ここには高濃度汚染のPCBを絶対に外気に触れさせない金庫のような遮蔽型処分をしている場所があります。実は、夢洲は関西圏のPCBの処分場になっています。PCBを含有するトランスやコンデンサーなど、ストックホルム条約による厳しい管理が求められています。

簡単に言うと、沖積層という豆腐状の地盤の上に、柔らかいゴミを1億トン投棄してきたのが万博会場の2区とIR会場の3区です。しかも、まだホヤホヤで固まっていない。軟弱地盤は当たり前です。液状化、液状化と言いますが、ほんとうは「液状態」です。万博工事に入った土建屋さんたちは想定外に手こずっています。

港湾局の情報提供資料では、過去30年間で4・7メートルも地盤沈下していることが明らかです。万博の2区では、2022年には測定不能になっています。測定菅が埋没して消えてしまったのです。IRの3区でも測定管がなくなっています。この実態を示すだけでもMGMは遠慮するんじゃないでしょうか。

図16

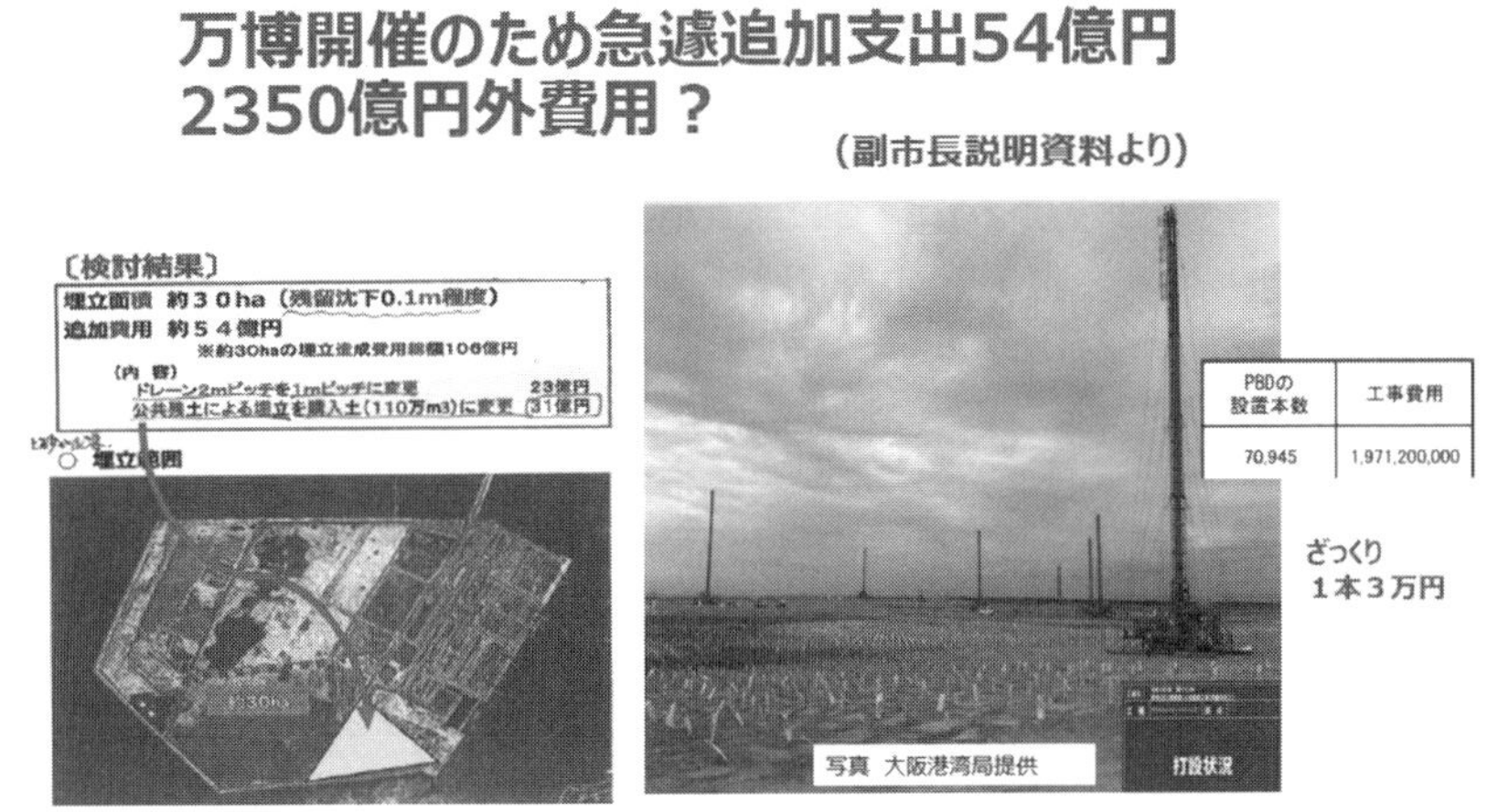
万博開催のため急遽追加支出54億円
2350億円外費用？
（副市長説明資料より）
〔検討結果〕
埋立面積　約３０ha（残留沈下0.1m程度）
追加費用　約５４億円
※約30haの埋立造成費用総額106億円
（内容）
ドレーン2mピッチを1mピッチに変更　23億円
公共残土による埋立を購入土（110万m3）に変更　31億円
○　埋立範囲
PBDの設置本数
工事費用
70,945
1,971,200,000
ざっくり
１本３万円
写真　大阪港湾局提供
打設状況

出所：藤永作成パワーポイント

そして、私が腹を立てていることです。「身も切らず、勝手にじゃぶじゃぶ税金投入」です。２０１６年の怪しい動きです。その資料は情報公開請求で出ています。万博開催のために急遽追加費用54億円が必要だと、急いでプラスチック・ボード・ドレーンというストローのような管で水を吸い出し、山土を買って地盤固めをする、2区の南東区画です。1本3万円の管を7万本埋め、20億円もかけています。（図16）

また、ＩＲ予定地の3区には大阪市負担分７８８億円のうち４１０億円が地盤対策費に使われます。当初は25メートル下まで改良工事をするとしていましたが、地盤調査の結果「液状化の可能性のある部分が点在している」ことが判明し、「セメント固化方式」が採用されています。これは、土壌に直接セメントとセメンダインの親分のような固化剤を混ぜてガラガラかき混ぜるものです。地下5メートル程度にセメントの塊の層を造ることで、不等沈下が防げるという訳です。

特に、ＭＩＣＥと言う会議場やホールなどの地下は、

図17

**万博会場地盤は、実験中の「浮き基礎工法」長期保存はムリ。
プレハブパビリオンは２階建が限界。大屋根は地下掘削5mとか。**

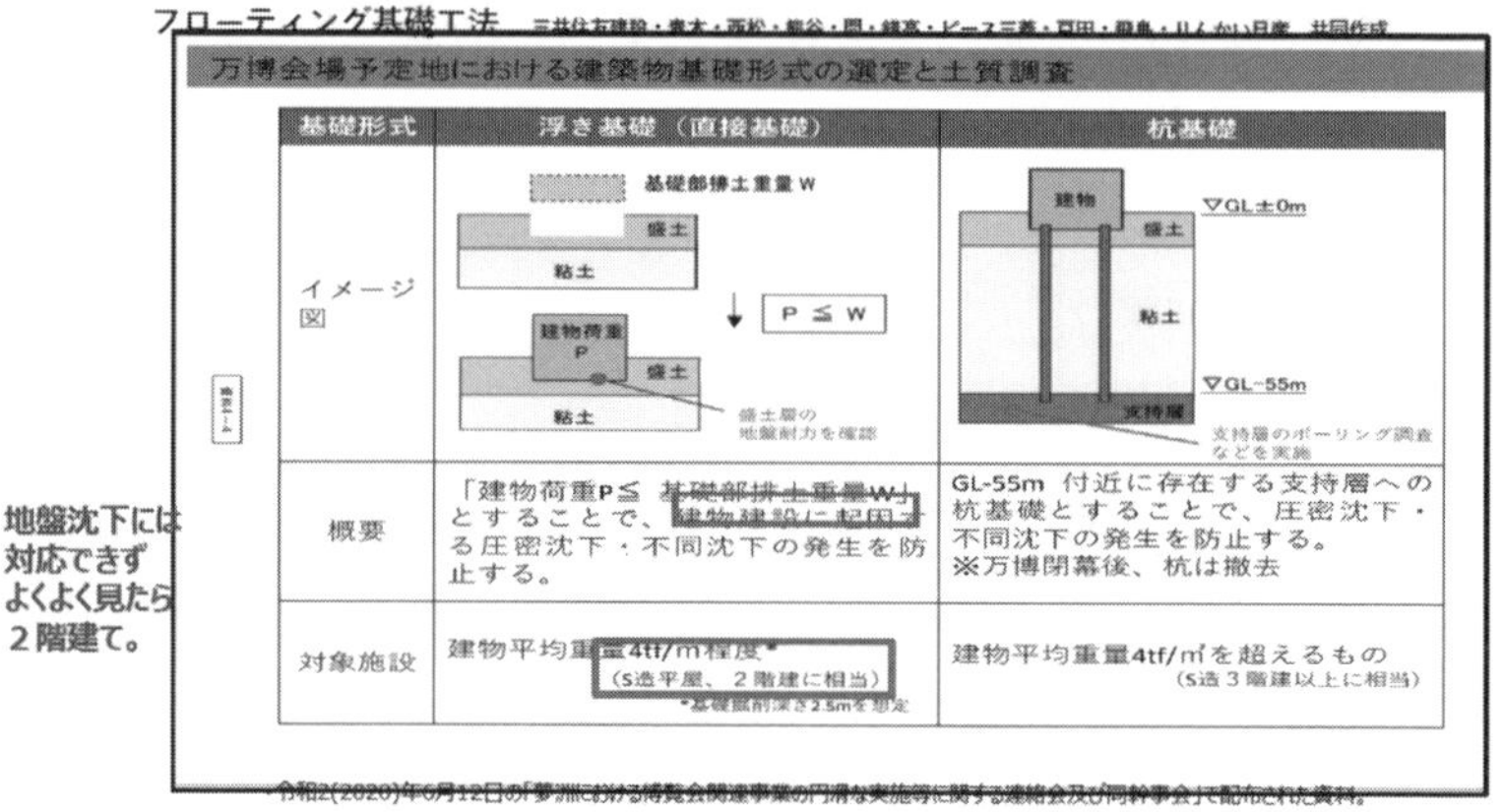

フローティング基礎工法
万博会場予定地における建築物基礎形式の選定と土質調査
基礎形式
浮き基礎（直接基礎）
杭基礎
イメージ図
基礎部排土重量W
盛土
粘土
P ≦ W
建物荷重P
盛土層の地盤耐力を確認
建物
▽GL±0m
▽GL-55m
支持層
支持層のボーリング調査などを実施
概要
「建物荷重P≦ 基礎部排土重量W」とすることで、建物建設に起因する圧密沈下・不同沈下の発生を防止する。
GL-55m 付近に存在する支持層への杭基礎とすることで、圧密沈下・不同沈下の発生を防止する。
※万博閉幕後、杭は撤去
対象施設
建物平均重量4tf/m程度*
（S造平屋、２階建に相当）
建物平均重量4tf/㎡を超えるもの
（S造３階建以上に相当）
地盤沈下には
対応できず
よくよく見たら
２階建て。

出所：藤永作成パワーポイント（図は令和2年6月12日第1回 夢洲における博覧会関連事業の円滑な実施等に関する連絡会議及び同幹事会資料4-4「万博会場予定地における建築物基礎形式の選定と土質調査」より）

13メートル下まで固めるそうです。こうして、3区には大阪市のお金が入っていますから、地盤対策やあとから話題になる「排水管」の施工など衛生面の準備もされています。

問題は、2区万博会場の基礎です。ゼネコンは、まだどこでもやったことがない「浮き基礎工法」という地盤対策の実験をすることにしました。これは、建物の重量に由来する沈下を防ぐために、同量の土を取り除き、そこに建物を建てるという船の原理を活用するものです。これで、最大2階建てのパビリオンは建てられるといいます。しかしこれは、地盤沈下そのものの対策ではありません。従って、万博のパビリオンは2階建てです。ショボ～い万博です。

しかも、万博開催は半年なので「半年間もてばいい」としています。話題の350億円の円形リングは「レガシーとして残す」などとても無理だし、終了後原状復帰のための撤去費用も

図18

膨れる万博費用2350億円　まだ増えてるのに闇の中。

増加理由
①資材高騰（ロシア・円安）→輸入CLT材
②人手不足（労働時間・人件費）
③軟弱地盤（浮き基礎・杭打ち・杭抜費用）
計画では　国・大阪府市・経済界が1/3づつ負担。
ただし、2350億円はうわもの関連費用
現状復帰（全て撤収）費用負担は微妙。
しかも、経費積上げの試算ではない？
④こっそり支出　万博インフラ費用
15項目1.129億円
＊府市一体化で大阪市民に費用押し付け。

出所：藤永作成パワーポイント

大問題です。特に、水辺部分に施工する50メートルの鋼管は、引き抜くときは泥まみれで大変でしょう。世界からのパビリオンの建設も、現時点でゼロも当然です。原状復帰費用負担が明確なのでしょうか。

「いのち輝く未来社会のデザイン・関西万博」と散々宣伝してきましたが、今では「関西」を取って「国や国だ」と言ってます。私はこの夢洲開発を「夢洲インパール作戦」だと言ってます。インパール作戦では、現場の司令官らが「アカン、アカン」と言っているのに無理くりやって、戦況が悪くなったら命令した張本人は日本へ逃げ帰りました。夢洲では元市長です。決めるだけ決めて逃げてしまった。

唯一の目玉が「空飛ぶ車」です。万博会場から大阪城まで10分で飛ぶそうですが、どこを飛ぶのでしょうか。

万博開催費用は2350億円まで膨れ上がっています（2023年10月28日現在）。国、大阪府市、経済界が3分の1ずつ負担しますが、この2350億円は上物費用だけです。さらに、こっそり使われているのが「イ

図19

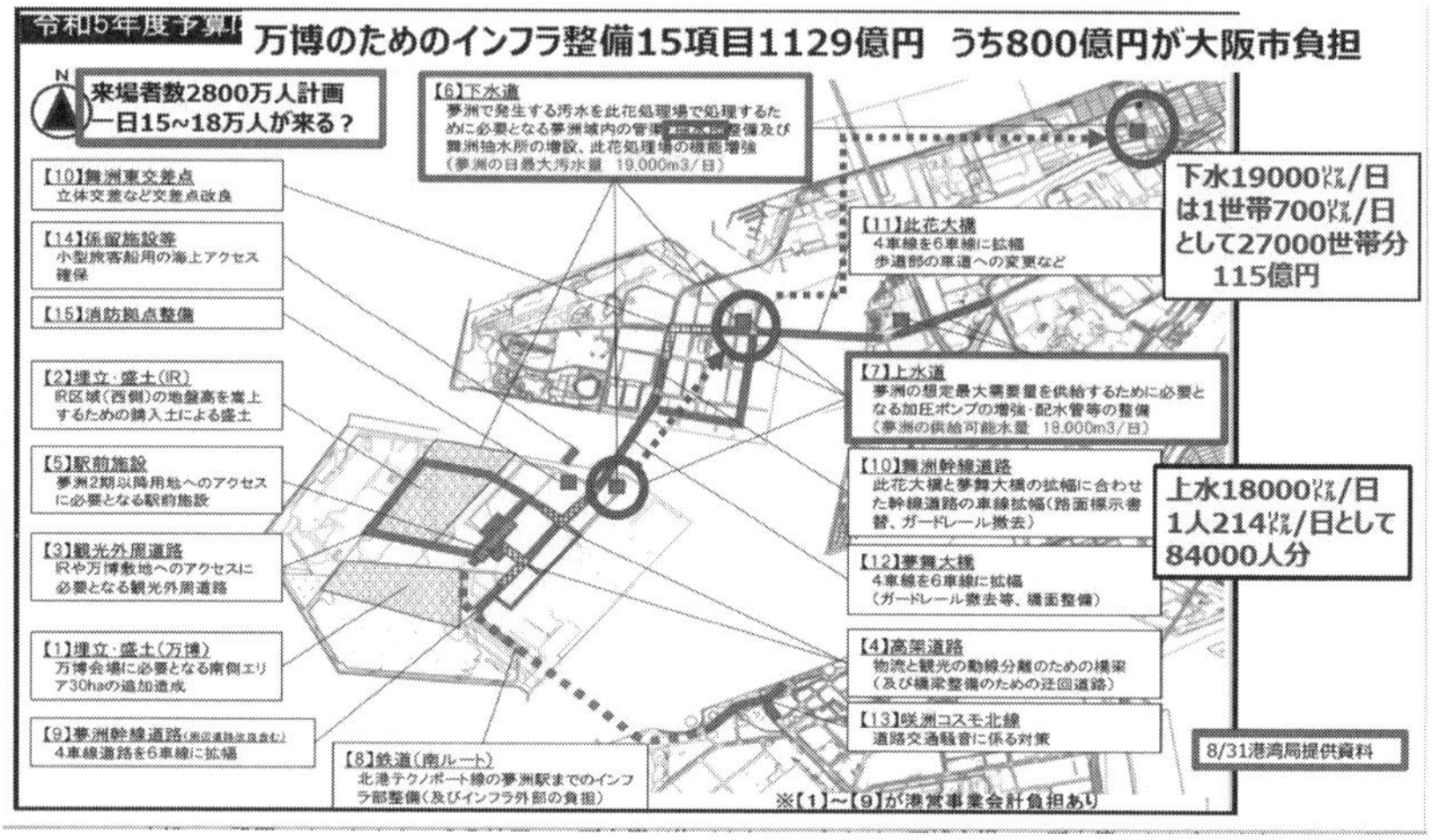

出所：藤永作成パワーポイント（図は2023年8月31日大阪港湾局提供資料）

ンフラ整備15項目１１２９億円」です。

負担内訳は、国１５０億円、大阪府10億円、ＯＴＳ（大阪港トランスポートシステム）１６０億円、そして大阪市が7割近い８０８億円です。国の事業なのにこんなにも負担することになっている。市民の税金を勝手に使わないで欲しいです。道路、橋、上下水道の整備などに使うそうですが、さらなる問題は、上下水道の容量です。下水の容量は8万人分で、万博の集客計画15～20万人にはとても足りません。そこで考え出されているのが「貯水槽」の設置です。しかも、ＩＲ地区には下水管が施工されていますが、万博会場には下水管はありませんし、設置しても原状復帰で取り外しが要求されます。

万博は、基礎的な衛生環境すら準備されていません。他にも、格安用地裁判経過や噴出ガスなど様々な問題がありますが、時間がきましたので一旦ここまでとします。ありがとうございました。

清水　藤永のぶよさんから夢洲の土壌問題について報告をいただきました。ありがとうございます。続きまして、カジノ問題を考える大阪ネットワークでいつも活動されておられます、阪南大学教授の桜田照雄先生からご報告いただきます。

カジノは基本方針に適合しなければ認定取消を

桜田照雄　まず第一に、夢洲のカジノ開催を止められるのかという問題です。中止するためのやり方は実は法律に決められています。そこではカジノ認定の取り消しをカジノ実施法（特定複合観光施設区域整備法）が定めています。その中身は基本方針に適合しなければ認定を取り消すという理屈です。

第三十五条　国土交通大臣は、次の各号に掲げる場合のいずれかに該当するときは、区域整備計画の認定を取り消すことができる。

一　認定区域整備計画が第九条第十一項各号に掲げる基準に適合しなくなったと認めるとき。

「要求基準」対象からカジノ施設が省かれている

第二にこの適合方針とは「要求基準」と「評価基準」なのですが、ここからいろんな問題が出てきます。結論から言えば、特定複合観光施設区域はカジノ施設とそれに付随する「カジノ以外の中核施設」である「1～5号施設」という二つにわかれています。ところが「要求基準」の対象からカジノ施設が省かれていています。カジノをやるというのに、その審査対象がカジノ施設ではなくて付随施設になっている。これが第一の突っ込みどころです。

「優れた」。「優れた」という言葉になぜあんなにこだわるのか。これは安倍晋三さんが衆参本会議で「高い国際競争力を持たないカジノは認定しない」と言ったことに始まります。「高い」ということを「優れた」に置き換えているわけです。だから「優れた」ということを言わない限り、この「高い国際競争力」、つまり法律の前提条件がクリアできないという理屈です。屁理屈をこねくり回しているわけです。そして「要求基準」そのものについて、適合性がどういうふうに判断されたのかについては、実は検証をしていないのです。ですからこれもまた大きな問題です。

実施協定の中身を審査しないという屁理屈

第三に、このようなカジノの認定（事実の確認）・認可（法的効力の発生）手続き問題に対して、われわれがどういう役割を果たしてきたのか。「カジノ誘致を認可するな」という署名が15万5400筆集まって、署名をもとに国との交渉を6～7回重ねました。その結果どうなったか。

「7つの付帯条件」というものを付けてきた。「土壌の専門家がいないのに認可をするのか」と質問しました。その結果、審査委員会に地盤工学と津波防災問題の専門家を入れてきました。でもその専門家とは沖縄の辺野古基地建設埋め立てにゴーサインを出した専門家でしたので、推して知るべしですが、とはいえ、その「7つの付帯条件」にはいろいろな形で専門家の意見が反映されていました。ところがいろんな詭弁を使ってきました。一つは、実施協定の締結を認可するというくだりがあります。実施協定の中身そのものを見るのかと思ってたのですが、そうではなくて、「締結を認可する」ということでした。ですから契約を結ぶときのいろいろな書類が整ってるかどうか、という形式を審査するのであって、実施協定そのものの中身を審査するものではないという、こういう屁理屈が出てくるわけです。

（実施協定）

第十三条　認定都道府県等及び認定設置運営事業者等は、第九条第十一項の認定の後速やかに、次に掲げる事項をその内容に含む協定（以下この章において「実施協定」という。）を締結しなければならない。設置運営事業若しくは施設供用事業の譲渡又は認定設置運営事業者若しくは認定施設供用事業者たる会社の合併若しくは分割により第十一条第一項の規定による変更の認定を受けたときも、同様とする。

一　設置運営事業等の具体的な実施体制及び実施方法に関する事項（施設供用事業が行われる場合には、施設の管理その他の事項に係る認定設置運営事業者と認定施設供用事業者との間の責任分担及び相互の連携に関する事項を含む。）

二　設置運営事業等の継続が困難となった場合における措置に関する事項

三　特定複合観光施設区域の整備の推進に関する施策その他の国際競争力の高い魅力ある滞在型観光を実現するための施策及び措置に関する事項

四　カジノ施設の設置及び運営に伴う有害な影響の排除を適切に行うために必要な施策及び措置に関する事項

五　実施協定に違反した場合における措置に関する事項

六　実施協定の有効期間

七　前各号に掲げるもののほか、認定区域整備計画の適正な実施のために必要な事項として国土交通省令で定めるもの

2　認定都道府県等及び認定設置運営事業者等は、実施協定を締結しようとするときは、国土交通大臣の認可を受けなければならない。これを変更しようとするときも、同様とする。

カジノが儲かるのかどうか審査委員会は確信が持てない

カジノの施設については、カジノ事業の収益は来訪者数（集客人口）と「テーブルマシンとの構成比」で決まります。例えば、利益から言うと、ラスベガスではマシンが稼ぐ利益を1とするとテーブルは3ぐらい、テーブルカジノはマシンの3倍を稼ぎます。マカオに行くと、マシンが1にテーブルが10ぐらいになります。つまりVIP客に依存するのがマカオのカジノ経営だということがわかります。賭博とは確率の勝負ですから、何かその特別な工夫をして利益が上がる上がらないという話ではありません。要は人を集めてくれれば、あるいはテーブルの比率をどう設定するのかという、その二つしかお金儲けをコントロールする手段がないのです。にもかかわらず、国もそうですし関係官庁もそのこと自体が営業の秘密に該当するというのです。MGMは大阪にしか応募しないのに、それでも事業者の営業秘密を侵害しますと屁理屈を言うのです。儲け方の指標は人数と機械の二つしかないわけですが、肝心要の人数について「評価基準」はどう言っているのかといえば、カジノ来訪者の数は十分な評価ができないと言います。

つまりカジノが儲かるのかどうかについて審査委員会は確信が持てないというのです。このことは収益未確定事業への投資になります。740億円のカジノ税収がある場合で逆算すると、年間で4933億円の粗利があることになります。そこでこの4933億円の粗利は本当に確保できるのかと質問すると、国内1100万人、全体で1610万人の集客について十分な根拠がないというふうに言ってますから、その中身に対して立ち入ることはできない。だから国も無視するし、業者も言わない。また肝心要の5500億円を融資するという銀行団も大阪府・大阪市もカジノ事業収支の見込みについては一切明らかにしません。それがどういう根拠を持ってゴーサインを出したのかについては、それは営業秘密だから言わない。ですから自民党を支持する真っ当な経営者の人たちや実業家のみなさんたちも、専門用語でフィージビリティスタディという事業計画やプロジェクト計画が成功するかどうかを評価する方法、これをしないのかと。事業計画を審査しない、事業計画の合理性を判断しない胡散臭い計画になぜゴーサインを出すのかと怒っています。出資者の大阪20社を含め関係者は自らの投資判断を公表すべきではありませんか。

大阪カジノ格安賃料差止訴訟

次に大阪カジノ格安賃料差止訴訟の意義についてです。一つは賃料水準の問題です。1平方メートルが月額428円、年額5136円は妥当なのでしょうか。これは土壌汚染を考慮していないので、土地改良を行うなら改良費を賃料に反映させるべきです。またトレーラーに繋ぐ「コンテナの荷台」置き場の賃料はわずか394円です。荷物置き場と8パーセントしか違わない。こんなバカげた話があるかということです。その上、高層建築物を前提とした不動産鑑定評価を行っていないので、評価対象物件の収益力を反映した賃料にすべきです。二つめは、不動産鑑定評価書の虚偽記載です。不動産鑑定士が大阪市に廉価賃料設定の「合理性」を指南し、不正な格安賃料の改定になっているということです。

次に、裁判所を使って工事をやめさせる、世論の力で「できそこないの法律」執行をさせないということについてです。しかし残念なことに、こんな「できそこないの法律」であったとしても、裁判でこの法律が間違っているということは言えないのです。差し止めの請求は極めて困難です。なぜかと言いますと、先だって団藤さんという最高裁判所の判事のメモが公表されましたが、その中で、大阪の空港裁判で最高裁小法廷は差し止め請求を認めるつもりだったが、行政が、そんなことやられたら公共事業が展開できないという屁理屈で、無理やり最高裁元長官を使って、小法廷の裁判長と最高裁長官がいる前で三者会談を行い、小法廷の判決を覆すために大法廷で裁くことにしたと明らかにしています。これ以降、訴えの利益がなければ差し止め請求ができないという理屈ができ上ってしまいました。夢洲に住んでいる人はいません。ですから訴えの利益がないということで差し止めの訴えは拒否されます。これが今の裁判の実態です。

法律専門家と住民運動の力で

貿易保険を使って建設費を補助しても、海外パビリオンの着工が全然進みません。「掘れば何が出てくるかわからない」「汚染まみれの土地では建設工事はやりたくない」「マヨネーズの軟弱地盤」。だからこそ、「なんぼカネを出してもらっても、できんもんはできん」（あるゼネコン社長）。これが本音です。しかし、２０２４年夏までにいろんな問題に決着をつけて、カジノ事業者に建設を決意させる。ＩＲ推進局はそう語っています。

最後になりますが、先ほど排水溝のことがありましたが、夢洲の土壌汚染状況は、そこから排出される汚染水の水質を調べることでしか検証されません。だから土壌汚染の問題だといって、ボーリングうんぬんという話にはならないのです。そもそもそういう汚染調査ができないということになりますから、ここにも法律の抜け道があるのです。この法律の抜け道を抑えるには、もちろんその法律の専門家の知見も必要ですが、一番根底にあるのは住民運動の力です。そのことを申し上げて報告を終わります。ありがとうございました。

清水　ありがとうございました。「要求基準」にカジノが含まれていない、税収の根拠も乏しいということなどについて詳しく説明いただきました。ではパネリストの最後は、万博カジノに対する今の大阪市の姿勢がどうなっているのか。これについて日本共産党大阪市会議員団・団長の山中智子さんよりご報告いただきます。

そこのけそこのけ万博・カジノが通る大阪市

山中智子

みなさんこんにちは。お疲れだと思いますので、短く報告をいたします。日本共産党大阪市会議員団の山中智子です。ここに大阪市民だよという方はどのぐらいいらっしゃいますか。はい、ありがとうございます。どんなお話をした方がいいのかと思っていましたが、今の大阪市が万博・カジノによってどんなふうになっているのかをご報告させていただきます。

私はどれだけ酷い人たちが今の大阪府市政を担っているかということについてお話しします。今から3年前は大阪市をなくすかどうかという住民投票の真っ只中でした。僅差で否決をしましたけれども、もしあれが可決されていたなら、2025年の1月には大阪市が廃止されて特別区が始まることになっていました。2025年の1月です。それが今、万博が間に合わないと大変なことになっています。もし可決されていたら、さらにこの状態に大阪市をなくして四つの特別区を作る仕事をしなければならなかった。そんなことできるはずがないじゃないかと、あの頃の私たちは本当に思いましたが、そんなことは何とも思っていないのが今の大阪府市政です。

いったい組織がどうなるか、市民がどうなるか、そんなことは全く真面目に考えない人たちが府政市政を担っているということを改めてみなさんと確認したいと思います。

万博・カジノで家庭ごみは有料化も…

私は大阪市議会で働く者として、やはり声を大にして、新聞やテレビはそこをもっとちゃんと報道してよと言いたいです。この頃の新聞、テレビも少しずつおかしいと言い始めていますが、それでもやはりまだ夢洲は「負の遺産」だと言っています。それは違うのです。元々から大阪市民の大事な最終処分場なんだということは、みなさんもいろんなところで言っていただきたいと思います。あそこがなくなってしまったら大阪市民の家庭から出るゴミの行き先がなくなり、有料化されていくことを本当に大きな声で知らせていきたいのです。

あわせて「負の遺産」なんかじゃなくて、コンテナ埠頭ができ物流の拠点として夢洲はずいぶん働き始めています。さらに夢洲に物流倉庫を持って行きたいと言われる物流事業者はいくらでもいるわけで、夢洲を働かせることができるのです。それなのに今カジノ事業者は実施協定を結びつつ、ひょっとしたら実施しないんじゃないかという疑惑を持ちたくなるような3年間の解除権を留保してくれと言い、大阪市はそれを飲んじゃっているわけです。すると3年間大阪港湾局はあそこを動かすことはできません。物流業者に売ることも貸すこともできない塩づけ状態にしておいて、それで要らないと言われたら、よほどこの方が損じゃないかということも大阪市民としては言いたいのです。

市民と職員いじめで借金返済は終わったが

お金の問題ですけれど、例えば万博会場建設費などでも、しらッと簡単に国と府市自治体と経済界が3分の1ずつ持つんだと言いますが、大阪市民は国民でもあり府民でもあり市民ですから、全部市民は担わないといけないのです。ものすごい負担が市民の方にかかってくるわけです。また夢洲開発に関わる費用を大阪府は出しません。夢洲は市の土地ですので全部大阪市が出します。788億円の土壌対策のお金について、知事や市長は、もしも開発事業者が撤退をしたら、その時点ですでに払う筋合いがなくなっているから、撤退した場合には、かかったお金は出さなくていいんだってことを言っていますけれども、でもこれは裁判になると負けるんじゃないかと、多くの専門家の方々は言っておられます。撤退しても土壌対策費を出さなければならないということになりかねないことを心配しています。

みなさんにも思い返していただくと、大阪市は1990年代に私たちがやめておけと言うのにWTCやATCなどのものすごい巨大開発をやって失敗をしました。そしてその借金で赤字になったツケが市民の肩にのしかかり、ずいぶん市民生活はズタズタにされました。また職員を減らし、職員の給料も政令市で一番安い状態に減らしました。そうしてどの分野でも節約、節約で市民いじめ、職員いじめをやって、やっとこれらの借金返済は全部終わりました。アベノの再開発も終わりました。

貯め込んだ財政調整基金が夢洲に捨てられる

こうして余裕ができて市民のためにお金が使えるようになっているときに、再びあのような巨大開発をして、失敗をして市民に大きな借金を背負わせるのか、同じことを繰り返すのかということを私は副市長に質問しました。その時に副市長はなんて言ったかっていうと、「財政調整基金がありますす」と言ったのです。確かに大阪市には財政調整基金という、いざというときに自治体の判断で使えるお金がものすごくあります。2〜3年前には1700億円とか言ってましたが、それが今や2400億円になっています。どんどん貯金を増やして、つまりそれだけ市民のためにやるべきことをやらないで、お金をすごく貯めているのです。ほかのどの政令市にしてもそれはせいぜい100億とか400億とかで、お隣の京都はゼロです、褒められたものじゃないですが。本来財政調整基金なんてそんなに持っているものではないのに、あれも削りこれも削り、民営化し統廃合し、道路はボコボコ、街の樹木は切り倒す、保育所は民営化され、小中学校は統廃合し市立高校は府に渡してしまうというように、大阪市を空っぽにしながら2400億円ものお金だけを貯め込んでるわけです。しかしこのお金は市民から取り上げたお金なのだから、余裕が出たら市民に返さないといけないものです。それを夢洲に捨てることを覚悟しないといけないぐらいのことを今やろうとしている。こういうことを許すわけにはいきません。

優秀な職員を無駄遣い、病院建設は後回し

それから人の問題です。松井さんたちはカジノに税金は使わないとよく言いました。しかしこれ自体がウソです。公金を使いますし、もし埋め立て会計で払えなくなればやはり税金を使うことになると思います。さらに言えばそもそも職員の給与は税金です。税金を使っているのです。いったいどれだけの人数いるのでしょうか。万博推進局とIR推進局を合わせて300人います。さらに副首都推進局なんていうのも未だにあり、大阪府市を一体化するんだと、副首都ビジョンとか言ってやってますが、この人たちを含めると大阪市だけで200人の人たちが市民のためにならない仕事をや

らされてるわけです。このためにものすごい税金を使い、ずっと職員を減らしてきているのに、他の自治体にはない市民のためにならない仕事をしているということで、市民のみなさんにとっては本当にどれだけ市民の暮らしに必要な職員が減らされているかということがよくわかると思います。

だからコロナのときに保健所がもうどうにもならなかった。あるいは区役所の保健福祉センターもどうにもならなかった。一番大事な人たちが減らされているわけです。区役所は悲鳴をあげています。建前上権限だけは増えるけれども、人が減らされて仕事ができない。そういう悲鳴がものすごくあがっています。しかも多くの人たちが言うのは、優秀な人が持っていかれるそうです。優秀な人たちが200人も持っていかれる。例えば各区役所に6人、7人の優秀な人たちが来られて市民の声を汲み取って、区民のみなさんと一緒に大阪市を良くしていこうという方向で働けると考えると、この人の無駄遣いとは本当に許せないことです。

また、万博の工事が間に合わないことで、例えば突然対策会議を開かれますと、そこではそのために何か大阪市がやっている仕事で後回しにできる仕事はないのかという相談をするわけです。そして出てきたのが住吉市民病院の跡地に作られようとしている公立大学の病院、これはもう後回しでいいというのです。完成の時期はちゃんと間に合わせるとは言いますが、でもそんなことはもう信用できないじゃないですか。何でもかんでも遅れていく中で、そこのけそこのけ万博が通る、カジノが通るというふうになってしまっているのが今の大阪市の姿です。

市政を市民に取り戻すために

私は、事業者はもう実はやりたくないと思ってるんじゃないかなと思いますが、それでも引き止めている。事業者から3年の解除権を認めてくれと言われたら普通は、いやもうそれならやめときましょうとなるじゃないですか。それを言えないというのは、やはり橋下さんや松井さんが言い出したことだから、それを勝手にやめるわけにはいかないということ。維新の松井さんが第一で、彼の引いた通りの線をいかないといけないという今の大阪市のあり方、市民をどんどんいじめていくという大阪市のあり方、それが大きな問題になっているということです。

万博カジノの中止をみなさんと一緒に運動を大きく広げながら、力をつけてもう一度市政を市民のために絶対に取り戻し、やっと余裕が出てきた大阪市の力を市民のみなさんのために使えるようにするために一生懸命頑張りたいと思います。

清水　山中智子さん、ありがとうございました。

シンポジストへのQ＆Aから

清水　それではここからシンポジウムの後半です。ここからはみなさんの質問にパネリストの方に答えていただく時間として進めていきます。私が質問内容を読みあげますので、パネリストのみなさん、ご回答よろしくお願いします。

まず、カジノの区域整備計画の国の認定条件に7つの注文がありました。その中に住民との双方向の合意ということがあるわけですが、**国としては住民のみなさんとの合意という点が非常に弱いのではないかという認識を持っているのですが、**まずこの点について桜田先生からお願いします。

ザル法に対しては住民に対して説明責任を

桜田　住民合意については法律の上では議会の議決でそれを代替できることになっています。ですから進める方は、議会で議決したのだから問題はないという理屈で進めています。先ほど言ったように法律自身がザル法ですから、そのザル法に対してはやはりきちんとした説明責任を果たすべきだという住民合意の理屈が出てきて、住民にきちんとそのことを説明しろと、こうなると思います。また肝心要のカジノ施設についての検討を審査委員会が一切行っていない点、4933億円の利益が上がるということについて、国も事業者も大阪市も銀行も明らかにしていないわけだから、そのような計画を住民として認めるわけには到底いかないという理屈になろうかと思います。

清水　この間、住民運動でカジノの是非を問う住民投票条例を求める署名を集められた方もおられると思うのですが、これを大阪府市が握りつぶしたという点で、十分な住民の合意は満たされていないと多くの方が感じられてると思います。そういう点では、まだまだこの万博カジノを止めていくための運動はこれからだなと思います。

山中智子議員に質問です。住吉市民病院のお話がありましたが、コロナのときには急性期病床も含めて入院できるベッドが非常に足らなくて大阪は亡くなられる方や重篤化される方が増えましたが、この住吉市民病院の問題についてもう少し報告してください。

山中　この住吉市民病院の跡地にできる病院は、現在吹田市にある大阪市立弘済院附属病院という認知症の方々の病院を移転させ公立大学病院が運営していくということなので、直接コロナ等に関わることではありません。

清水　わかりました。維新のみなさんは、夢洲は「負の遺産」だと主張しています。その「負の遺産」を運用していくための万博誘致でありIR推進なのだと、ことさら夢洲を「負の遺産」ということで定義づけて、万博カジノ推進を正当化していますが、決して**夢洲は「負の遺産」ではないという点を（もう少しわかりやすく）**、さらに説明していただけますか。

夢洲は長期間使える埋め立て処分場として極めて有用

藤永　夢洲は1区、2区、3区、4区となっていますが、4区はもうコンテナヤードとして大阪経済になくてはならない存在になって活用されています。それから万博のメイン会場の2区とＩＲの3区は、しゅんせつ土砂を捨てて埋め立てている区域です。大阪は川や海の底に泥がたまるとそれを定期的に取り除かないと大きな船が入って来れないので、このしゅんせつ土砂は絶対に取らないといけないものです。またビルを壊して出る建設残土を捨てるところも大事です。そして問題の1区は、家庭から出たゴミなどを燃やした後の焼却灰の捨て場所でもあり、煤、煙突やフィルターに溜まった煤を集めてできるフライアッシュというダイオキシンの塊でとても汚いものですが、そういうものを捨てる場所としてとても大事なのです。夢洲は沈下しますが、埋立処分場とすれば、沈下すればするほどキャパが増えます。だから長期間使えるわけです。ですから有用だと私は思っています。

桜田　関連してですが、夢洲で工事をやりますと建設残土や廃棄物が出てきます。ではそれはどこに持っていくのか。それも夢洲です。でもそのときに廃棄物処理法に基づいた環境基準をクリアしているのかどうか、そういう検査をきちんとやらせること。これも住民の要求運動の力でないとできませんから、それをきちんとやらせていくということが大事です。そういういろいろな基本的な事実の積み重ねがあったからこそ、万博への反対意見が広がりました。それと同じようにカジノにまつわる様々な事実を明らかにしていく、積み重ねていくことが非常に大事だと思っています。

災害時にも貴重な夢洲の処分場

山中　夢洲は大阪市が埋め立てていますから夢洲にゴミを持っていく分にはいくら持っていっても無料です。なるべく長いこと、本当にそこを、もうてんこ盛りにしたらいいと私たちは思い、ゴミの大事な処分場として延命させなければならないと思っています。夢洲を万博に使うために、わざわざ土砂を買ってきてまでして埋め立てをしていますが、本当に災害などがあったときには夢洲しかないわけですから、夢洲はちょっと空けておかないといけないということもあって、フェニックスという大阪市だけじゃなくていくつもの自治体が一緒になって運営している処分場にも捨てています。そこに捨てるには1トン当たり1万1110円が必要です。ですからそっちに軸足が移ってしまうと今のゴミ収集が有料化になっていくということもありうると思いますし、フェニックスもいつまでもできるわけではありませんから、どうするのかということになります。ですから夢洲は本当に貴重な処分場なのです。

清水　夢洲は決して「負の遺産」ではなくて、ゴミの最終処分場として現役で運用されていることを事実とし広げていくことが大事だと思いました。

続いて依存症の問題です。先ほど1パーセントの人しか依存症に陥らないことを想定していると言われましたが、その人たちにたくさん負けさせることが狙いだというお話に衝撃を受けました。大阪のカジノではスロットマシンなどゲーム機の方がテーブルゲームよりも非常に多いそうですが、**オンラインカジノと差別化していくという点でもスロットマシンをどんどん入れないと、大阪のカジ**

ノにはお客さんが来てくれないということなんでしょうかという質問です。いかがでしょうか。

日本人をターゲットにするにはパチスロを中心に構成する

鳥畑　カジノ業者は、日本にＩＲカジノを作って儲けるといった時に、マカオ並みに日本人が負けてくれることを期待しています。日本人は家計金融資産をたくさん持っているし、実際にパチンコ・パチスロで年間にこれぐらい使っている。だから、そういうマーケットとしてギャンブルをする人たちがこれぐらいいて、そのお金が回ってくれれば有望なんだという推計をいろいろ出しています。だからまず、日本のパチスロで馴染んだ客を流し込んでいくと事業者は考えています。中国のＶＩＰ客はもう当てにならないのでテーブルで儲けるという展望はないのです。テーブルではディーラーは何語を喋るかという話になるわけで、中国人をターゲットにすれば当然中国語でディーラーがお客の相手をするわけですが、そんなテーブルに日本人は座れないわけです。マカオでは基本的にはチャイニーズで喋って中国人ばっかりになってます。ともかくそういう日本の既存のギャンブル客、パチスロにお金使ってる人たちを引き込みたいということで、パチスロを中心にしないといけない。これは明らかに日本人をターゲットにして、日本人の懐でいかに稼ぐかということでこういう構成になっています。

スロットマシンについては、ギャンブルのコカインという表現がありまして、ギャンブルの中でも依存症を誘発する危険性が極めて高いと言われています。そしてそれ以上にオンラインが危険だと言われてるわけですが、ＭＧＭが大阪ＩＲでメリットを感じているとしたら、地上型のギャンブルにお客がいない時に、実は日本人をさらに食い物にするために、オンラインに誘い込んでいこうと考えているのではないかと思います。

清水　なるほど。いま禁止されているオンラインギャンブルの解禁に繋げていく足がかりにしようという狙いもあるかもしれないということですね。

次にたつみコータローさんに質問です。そもそも2820万人を半年間で夢洲という会場に誘い込もうとすると、1日当たり20万人、30万人という人を運ばないといけないわけですが、**夢洲への交通アクセスが橋とトンネルしかないわけで、渋滞はしないのでしょうか。また万博を成功させるために前売り券の販売で必死のようですが、果たして予定通り売れるのでしょうか。**

かなり無茶な計画になっているんじゃないか

たつみ　半年間で2820万人という入場者予想になっています。これはかなり多いです。私は西九条というところに住んでますが、日々、ユニバーサルスタジオに行く国内外の観光客のみなさんの賑わいを見ています。直近ではありませんが、コロナ前のユニバーサルスタジオの年間入場客数が1450万人ぐらいでした。今年（2023年）はもしかしたらそれを上回ってるかもしれませんけれども、言いたいのは、その倍の入場者数を半年で万博は実現すると言ってます。もしそれだけの人が来たら地下鉄ルートと夢舞大橋という2ルートしかない状態で、橋のルートはほとんどがシャトルバスになると言ってますから大渋滞になりますし、そもそもそれだけの輸送能力を地下鉄が有しているのかという疑問もあります。さらに今現在、ＡＴＣやＷＴＣで働く府や市の職員が利用しているわけです。地下鉄中央線を使っているのです。そういう人たちが乗った中で万博のお客を輸送できますかということです。それを聞きますと、いや実は職員のみなさんには時間をずらして通勤してもらいますと言います。時間ずらしても結局、ひっきりなしに万博のお客も来ないといけないのです。かなり無茶な計画になっているんじゃないかと思います。

また前売り券です。これを２０００万枚ぐらい売りましょうという話をしてますけれども、これも結局、吉村知事は大阪府の小学生、子どもたちを無償で招待しますと言いました。いよいよ身を切る改革をやってくれるのか、自分の身を切って払うのかと思いきや、大阪府の予算で20億円ぐらい計上するという話でしたので、おそらくチケットを大阪府下の学校に下ろした後、２回目以降はそれぞれの市町村で買ってくださいということになると思います。遠足なんかで2回、3回というのはおそらく難しいので、大阪府以外の自治体は年間パスじゃないですけど、何回も行ける一番高いパスを買って子どもに渡すことになるんじゃないかと危惧しています。しかしそれも税金です。税金でやられるということになると思います。もう1点、会場のことで言いますと避難計画、これがまだできていません。もし万が一何かの災害で被災した場合に1日20万や30万もの人が本当にちゃんと避難ができるのかということも問題になり、これも非常に危惧しているところです。

清水　近い将来、南海トラフ地震が高い確率でやってくると言われてます。２０１８年の台風21号のときには関西空港が水没しました。橋にタンカーが接触して行き来できないということで、大勢の人が関西空港島に閉じ込められました。藤永さん、夢洲の地形のことから考えるとこの**災害対策計画、避難計画がまだできてないことについてどのように思われますか。**

計画も立てらないぐらい無理

藤永　先日のIR推進局の説明会のときですが、台風が来た時、豪雨が襲ってきた時などは、人工島ですから遮るものがないので自然災害に弱いのです。そういう時にどうするのかと質問すると、3日分の食料の備蓄をしてますと答えてました。でも18万人の3日分の食糧があっても寝るところがないのです。泊まるところがない。とっても無理。もう無理なのです。計画も立てらないぐらい無理なのです、と私は思っています。

清水　これからのことを考えると本当にそんなことで大丈夫かなという気がします。ここで山中智子さんに質問です。一般車両は夢洲に入れないのでシャトルバスを走らせるという計画ですが、そもそも**バスの運転手は確保することができるのでしょうか。**また大阪府だけではなくて**大阪市にも子どもたちを万博に行かせる、招待するという動きがあるのか、**この点についてお話ください。

どんな万博になるかもわからないのに子どもを連れて行くことだけ考えている

山中　バスの運転手さんはご承知の通り、あちこちのバス会社が路線を廃止しなければならないくらいに、圧倒的に不足しています。シティバスに乗られる方はご存知だと思いますが、「万博関連運転手募集」というようなポスターをベタベタ貼っています。でも私はこういうのは無理じゃないかなと思っています。だから本当に始まってみたら、シャトルバスは運転手さんが不足して、走れないなんてことが十分起こりうるだろうと思っています。シティバスもその前の市バスのときからですけど、運転手不足はずっと言われてましたから。だから今、ライドシェアなんてことも急に始めてますけれども、やはり運転手さんは命を預って走る仕事の人たちですから、バスであれタクシーであれ、安心して仕事ができる給料や環境作りを先に考えていかないといけないと思います。

また子どもたちの無料招待については、大阪府が4歳から高校生までの全ての子どもが一度は無料で行けるようにお金を出しますと言ってます。府内の学校に行っている子どもについては、学校から全部連れて行ってください。そこに行けなかった人や学校に行ってない幼稚園児やそれから府外の学校に行ってる人については申請してくれたら送りますという形で、一人残らず無料で招待をする。そして2回目については、市町村がそれぞれ考えてやってくださいというのが今の大阪府が言っていることです。大阪市の方はまだ具体的にどうするかは考えていませんけれども、必ず何か同じ規模、同じ対象者の子どもを1回は大阪市が無料で招待できる仕組みを作ろうと考えていると思いますが、それは税金です。でも大阪のパビリオンでは、自分の血液を全部調べて、どんなものをどんなふうに注意をして食べたら、こんなふうに自分が若返るという、そういうおもしろい企画をやるんですよって言うのですが、でも子どもは自分が若返る姿をみたいですか。だから、子どもが本当に見にいきたいものかどうかなんてわかっていないのです。どんな万博になるかもわからないのに連れて行くことだけ考えているわけです。

清水　桜田先生にご質問です。維新の会のみなさんは、カジノで七百数十億円の税収が見込まれるということを常套句としてIR推進のために言っています。税収が増えて教育や福祉など、そういうところに充てていくということを常々強調していますが、果たして**本当にそれだけの利益を上げることができるのでしょうか。**仮にそれだけ利益が上がるということになれば、**より多くの人たちがカジノでお金を失うということになると思うのですが、そのことと経済成長は整合性を保てるのか**という質問です。

カジノの社会的費用については一切何も言わない

桜田　まず一つ目に740億円のカジノ税、そして320億円の入場料で1060億円が入ってくるということを言ってますが、お話したように、その根拠はあるのかということについて、誰も何も言っていないのです。この点がまず一つ目です。それから二つ目ですが、テーブルカジノに対しては、消費税はおそらくかけられないのですけれども、スロットマシンの方は全然別です。みなさん、パチンコに消費税がかかっていることご存知ですか。パチンコ台は全部、消費税込の出玉の計算になっていますので、そうするとパチンコで消費税かけてるんだから当然電子ゲーム機にも消費税をかけるんですねという。これはありなんです。つまり消費税をちゃんとかけろという要求をしていかなければならないと思います。

経済効果の話ですけども、一つは1060億円入ってくるという大前提は、他の条件が全て否定されなければということですから、この1060億円入ってくる代わりに行政はいくら使うのか、それがないのです。この点についてですが、韓国の依存症患者の会が、患者に対するアンケート調査と、韓国の様々な経済統計をもとにして、いったいどれだけの経済損失が出るのかということを計算しています。それによると、依存症になったから働けなくなったというだけで2兆円のロスが出るという計算が出てきました。これを社会的費用と言いますが、そういうカジノをやったことについての社会的費用について彼らは一切何も言わない。こういう議論のおかしさがあります。

大阪経済の中心を占める卸小売業を活性化しない限りはうまくいかない

それから経済成長については、大阪の経済を産業構造で見ると日本の平均的な姿です。ですからどれかの産業に突っ込めば全体が良くなるという話はありません。大阪は卸小売業が全体の30パーセントを占め、売上高でも30パーセントを占めていますから、やはりそこを活性化しない限りは、大阪経済はうまくいきません。付け加えると、広くまんべんなく支援をすることによってでしか、大阪経済が良くなったという実感は得られません。今のように教育行政を使って大阪市内公立の小学校や高校をどんどん潰していき、その跡地をタワーマンションの建設会社に売っていき、そのあとどうなるかと言えば、若い人たちが集まってくれば人口が増えて、ほら、大阪維新の会の政策が良かったから人口が増えてるじゃないかと。そうなるわけです。しかも税金の統計を見ると、建設不動産の業者など儲かっているところは、橋下さんが知事になった2008年以来の水準から見ると1・5～1・7倍という儲けぶりになっているわけです。だから維新を支持する人たちがすれば、これだけ美味しい思いをさせてくれる政党を選挙で応援するのは当たり前だという話になってくる。ですから自分たちの仕事と、票のやり取りをするという、自民党を応援しても何もメリットないけれども、維新を応援したら仕事が来るという、こういう状況になっているわけです。ただマスコミは、税金の統計を使うということは、統計の正確さが損なわれるということでしませんけれども、やってみればそういうような見方が一つできるのではないかと思います。大阪経済が日本経済の平均値だということはほとんど知られてないし、これからは広くまんべんなくやらない限りは、大阪経済はダメだということも知られていません。こういう事実をきちんと伝えて、その実感をみなさんと分け合う中で、住民運動をもっと盛り上げていきたいと考えています。

清水　カジノによる経済効果や投資額、あるいは税収ばかりが強調されるが、社会的損失については全く語られていないではないかというお話でした。

藤永さんにもう少し軟弱地盤の問題について詳しく聞きたいという質問があります。**夢洲の護岸部分、埋め立て部分の強度や厚さなど、正確な数値はわかるんでしょうか**という質問です。また盛り土をしているのですがこれがやはり液状化していくのではないか。またプラスチックボードドレーンの効果はどうなのか、現在4・7メートル沈下しているということですが、万博・カジノで沈まないのか、などの質問です。

「沈む」と言う港湾局　正確な数字は出せない

藤永　大阪港湾局は沈むと言っています。汚泥の上ですから、沈まないわけがないです。ただ先ほど説明した第２天満層のところが２メートル沈むと言っています。でもここだけが沈むのではありません。もうすでに４・７メートル沈んでますからトータルで言うともっと沈むと私は思っています。ただし正確な数字というのは港湾局の測定が２０２２年で終わっていますので、故意ではないと言ってますがそれ以上は出してきません。ＩＲの区域に関しては業者がやりますと言います。

その相談はすんだようです。工事は事業者任せになっていて、費用は先に決まった大阪市の７８８億円で負担します。建物の下は「セメント固化法」で、「5メートル下までセメントで固める。ホテルなど高層建造物の下は80メートルの杭を打つ」といいます。この「セメント固化法」は不等沈下を防ぐもので、沈下そのものを防ぐものではありません。80メートル下までの杭のお金は誰が出すのか？　港湾局は「事業者が出す」と言いますが、そうかな～と疑問です。

夢洲を金儲けのネタにしたい

桜田　関連して、沈むということをもう少しイメージしてもらうとこうなります。ヘドロが1立方メートルあります。これが乾いたらどうなります。ずっと下がっていくでしょう。そんなイメージです。夢洲の平均的な埋め立て土砂は含水率が49・2パーセントという数字が出てきてますから、すると1立方メートルのヘドロの半分が水になるわけです。半分が水ですからその水が抜けるとどうなるかというと半分が沈みます。これが沈下するということの意味です。その沈下する層が数十メートルあるわけです。そんなところはもう水が完全に抜けるまで放っておくしかないわけです。でもそういうことをやらずに、プラスチックの杭で水はけを良くしてとか、砂を埋めて水を押し出してとか、あるいは砂に吸わせてとか、無理やり建物を建てる話をしているので、こういうことをやらなければ建てるものも建てられないという話ですから、だいたいそんなアホなことする人がいるのかと思います。これがやはり最初の「負の遺産」という話になって、あれだけ広い原っぱがあるのだから、あれを何とかしたい、金儲けのネタにしたいという、それに対してちょっと待てということにはなかなかならなかったのが実態だろうと思います。

土砂の半分は水、さらに高濃度の水銀、PCBも

藤永 2区、3区に入れてるしゅんせつ土砂、川底、海底の泥ですが、その定量証明書、私からすれば汚染証明書です。これを見ると水が半分、49・2パーセント、つまり半分が水だということです。それと総水銀は、排水基準というのがあるのですが、水銀は排水基準の480倍、PCBはなんと993倍です。そういうものが入っているのです、間違いなく。これが30年間続いていた。そういうところですから、水を抜くのもなかなか抜けませんから、溜まってるところもある。こういう実態だということを知っておいてください。そういう場所に高い建物を建てるなんてことは無理です。無理に税金を使うなと私は思っています。

清水 液状化ではなく、液状層があるとのお話でした。鳥畑先生に質問です。マカオのカジノに行かれたそうですが、大阪でカジノに**反対する理由の一つに治安の悪化、風紀の乱れ、犯罪の温床な**

どがあがっていますが、その危険性は大阪のIRにもありうるのでしょうか。

社会的コストが増えるのは世界共通

鳥畑 3月にマカオに行きました。地元に行くと、日本からマカオに来て、マカオで依存症が深刻化しているんじゃないですかと聞かれる人がいますが、それは勘違いされてますと言われます。マカオの人はカジノに行ってません、という話です。マカオのカジノの雇用はマカオの人を優先して採用しています。そうすると、カジノ側に立つと、中国本土から来る客がどういうふうにボラれているかを目の当たりにしているそうです。私がヒアリングしたある日本人の方ですが、その奥さんが中国の方で大手のカジノのかなり良いポジションで仕事をされていたが辞めたと言われました。「私は悪魔の手先だった」と愚痴っていたそうです。つまり、目の前で本当にいろんな人がギャンブルで負けて破綻していくことを目の当たりにして、そういう商売のお手伝いをしていたこと、それは悪魔の手先だったというのです。そういう現実をマカオの人は見ているのでマカオの人はギャンブルに行かないのです。だからマカオの地元で依存症が問題になっているというのは勘違いであって、中国本土から来る人たちがギャンブル依存症になるので、中国政府がギャンブル規制を強めているということです。

ではアメリカではどうなのかということですが、アトランティックシティに行きました。年間2000万人～3000万人が来ていました。でも人口5万人ぐらいの町は本当に閑散としていました。タクシーに乗って案内してもらいましたが、この地域には夜に呼ばれたら絶対に行きませんと言います。やはり危ない、犯罪率が非常に高いそうで、アメリカの調査ではとにかくカジノが作られれば、ギャンブル依存症で破綻する人も増えるし、犯罪者も増えるし、病気になる人も出てくる。そういった意味では、いろんな社会的コストが増えるのです。これは本当に共通のことです。

税収を増やすために市民をギャンブル漬けに

そこで先ほどの桜田先生のお話を私なりに言い換えると、みなさん、カジノの経済効果というとそれは税収だと言いますが、大阪府市の取り分は15パーセントです。でもそれの6倍~7倍のお客が負けてくれなければ税収は入らないわけです。するとアメリカの自治体は、ギャンブル依存症になる。税収を増加させるために自分たちの州民、市民をどんどんギャンブル漬けにしていくことになります。それは自治体の役割としてどうなのか。15パーセントの税収の何倍も負けてもらう。その負けてもらったお金は地元のポケットからカジノに流れ、確かにカジノに繋がった事業者には儲かる人はいますけど、お金を吸い取られた地元は、私はマイナスの経済効果と言ってるのですが、どんどん衰退していくことになります。さらに依存症が増えて社会的コストが増えて、大阪カジノの区域整備計画を見ると半分以上は地元、近畿圏のお客で儲けるというのですから、地元に依存症の人がたくさん生まれるという負担が集中していくことになります。そんなところで経済効果なんて、何が期待できるんだということです。

清水　とても議論が深まってきました。では次の質問です。万博カジノ反対の署名を集めています。何回も何回も新しい署名を頑張っていると、住民のみなさんから書きましたよというお話をいただいて本当に嬉しいのですが、この署名以外にも**万博・カジノを止めるために名もなき市民ができることはどのようなことがあるでしょうか**、という内容です。私からお答させていただきます。今後も継続して署名活動や宣伝活動に取り組んでいくことがたいへん重要だと思います。そして市民運動の一体化が必要ではないかというご意見もいただきました。

要求で一致して様々な団体が協力することは大切なことだと思います。あわせて、**大阪市廃止の「都構想」反対の運動に取り組んだ時のように、それぞれの団体や個人が特徴や強みを生かしながら、万博・カジノの問題に取り組んでいくということも重要**だと考えております。ご理解いただければと思います。

ではパネリストのみなさん、最後にこれだけはという一言をお願いしいます。

裁判に勝ってカジノを止める

藤永　大阪カジノを止める方法ですが、一つは私たちの裁判に勝つことです。もう一つは、大きな世論で万博が止まる、開催されないと、MGMが嫌だと言って出ていきます。この二つで止められると思っています。

カジノ抜きのMICE建設で頑張る

鳥畑　経済効果で雇用を増やすからいいんだというのは、時代錯誤じゃないでしょうか。つまりお隣の韓国江原ランドでカジノが認められ、アメリカではアトランティックシティでカジノを合法化しました。それは地元の産業が潰れて代わりの雇用が必要だったからです。しかし日本では人手不足が深刻化してるわけです。カジノは儲かるから良い条件で雇います。それで人手を取られた地元で商売されてる方はもう大変な思いをすることになります。

それからカジノを設けて国際会議や展示の施設を作るためにもカジノが必要だと言います。関西経済連合会は2016年に大阪スマートシティ構想を出しました。あの時は最終的に展示施設を35万平方メートルのものを作ると言ってました。でも今回は2万平方メートルです。それならもっと大きなものが大阪にあるじゃないですか。なぜこうなるのか。東京都が青海地区でIRを作ると言い、その時に展示施設を併設するかしないかで、シミュレーションをしたのですが、するとカジノがないMICE（マイス＝Meeting／企業会議・研修、Incentive Travel／報奨・研修旅行、Convention／政府主催会議・学術会議・業界会議、Exhibition またはEvent／展示会・見本市・イベントの頭4文字から成る造語）でも採算が取れると出てきた。なのになぜカジノが必要なのかというと、投資する側が投資収益率20パーセントぐらいを期待してるから、その大儲けを実現するためにはカジノが必要だというのです。ですから実は、MICE、展示施設を作るだけだったらカジノの儲けはいらないのです。そのため今、横浜の港運協会はカジノ抜きのMICE建設で頑張ろうとしているわけです。ところがカジノの儲けがないと大きなMICEが作れないという制度設計をするから、カジノが儲からないから、MICEが萎んでいく。カジノ依存の経済政策に縛られるから、本来のMICEが作れない。実は今、世界的にはMICEの需要はものすごく急回復しています。ですから大きなものを作ればちゃんと採算が取れるのですが、カジノの儲けで何とかしようとするから2万平方メートルで我慢してねという馬鹿な話になってるのです。

清水　ありがとうございました。それでは時間となりましたので最後にまとめの発言をたつみコータローさんからお願いします。

万博は政治決断で止められる

たつみ　今日はみなさん、お忙しい中ありがとうございました。先ほど冒頭にも紹介しましたが、万博は中止でいいという人が35％に上り、縮小と合わせれば8割という、その背景には万博そのもの、あるいはカジノそのものに対する厳しい目が向けられ、その中身がよくわかってきたということでしょう。こんな無茶苦茶な土壌のところにこんなものはできないんだという批判が高まっている。今の日本で一発花火を上げれば景気が良くなる、経済が良くなる、そんなことにはならないということを私たちはこの失われた30年で実感をしてきました。何より大事なのは人間であり、人だということです。働く人の賃金を上げて、年金物価が上がれば年金も上げる。そういうことをやってこそ本当の経済対策だということを、私たちはもう知っているからです。

今、維新がやっている政治はもう古いということがはっきりしてきました。私はここに批判の声の高まりがあると思いますし、それを力に万博を止められるということを言いました。つまりこれは政治決断ですから止められるわけです。止めた方がいいわけです。またカジノについては今、藤永さんが原告団になっている裁判もやってます。「しんぶん赤旗日曜版」の本田記者の訴えにもあったように、あり得ない激安の賃料でやらなければならないほど夢洲の状態というのは悪いわけです。もう激安でやってくれと。ここは市民の公金が注ぎ込まれるところなのにそれがこんな状態になっている。私たちはこの間、毎月1回ぐらい国交省の交渉に行っていますが、とにかく賃料の不正が明らかになったら、カジノの認定は取り消すと言ってるわけですから、この裁判に勝てば万博もカジノも止めることができるということです。そして維新の政治を大阪から変え無くしていく。市民が主人公の政治を取り戻すというたたかいをやっていきたいと思います。

最後に、政治を変えるということで言いますと、今日はコーディネーター役を清水さんにやっていただきましたが、やはりこのカジノ万博問題を国会で追及をしてきたのが私と清水さんでした。今国会では、宮本たけしさんが大阪代表として、また山下芳生さんもやっていただいていますが、来たる衆議院の解散総選挙で、この2人を含む比例で共産党の議員をとにかく多くを選出していただければ、国会で、予算委員会で、テレビの予算委員会でこれを取り上げて中止に追い込んでいくことができます。ぜひみなさんの声を国会に届け、頑張りたいと思いますのでどうぞよろしくお願いいたします。本日はありがとうございました。

【シンポジストの紹介】
たつみコータロー（元参議院議員）
本田祐典（「しんぶん赤旗日曜版」記者）
鳥畑与一（静岡大学教授）
藤永のぶよ（おおさか市民ネットワーク代表）
桜田照雄（阪南大学教授）
山中智子（大阪市議会議員）

コーディネーター
清水ただし（前衆議院議員）

企画：日本共産党大阪府委員会

万博は今すぐ中止！　被災地の復旧・復興を

2024年３月15日　初版第１刷発行

編者　日本共産党大阪府委員会
発行者　坂手崇保
発行所　日本機関紙出版センター
〒553-0006　大阪市福島区吉野3-2-35
TEL 06-6465-1254　FAX 06-6465-1255
http://kikanshi-book.com/　hon@nike.eonet.ne.jp
本文組版　Third
編集　丸尾忠義
印刷・製本　日本機関紙出版センター
ISBN 978-4-88900-290-4